リサーチのはじめかた

「きみの問い」を見つけ、育て、伝える方法

トーマス・S・マラニー＋クリストファー・レア
安原和見 訳

筑摩書房

WHERE RESEARCH BEGINS:
Choosing a Research Project That Matters to You (and the World)
by Thomas S. Mullaney and Christopher Rea

Licensed by The University of Chicago Press, Chicago, Illinois, U.S.A.
through The English Agency (Japan) Ltd.

目次

リサーチのはじめかた

はじめに …… 013
「自分中心的研究」宣言 …… 018
中心のある研究こそ最高 …… 021
この本の使いかた …… 025
内側が第一、外側は第二 …… 032
・やってみよう——ここで、いますぐ書く …… 034

第1部 自分中心の研究者になる …… 037

第1章 問いとは？ …… 040

テーマは問いではない …… 040

・やってみよう――自分自身を検索する　053
・やってみよう――退屈を手がかりにする　064
・やってみよう――やるなら思いきり小さく　070
・反響板――研究ネットワークの構築に着手する　077
きみは問いを生み出した　078

第2章　きみの問題は？

081
問いに飛びついてはいけない（問題をとらえ損なうことになる）　082
問いに対してストレステストを実施する　086
・やってみよう――問いに診断テストを実行する　087
・やってみよう――一次資料を使って問いを鍛える　095
・やってみよう――思い込みを可視化する　107
・やってみよう――問いと問いを結びつける問題を特定する　115

・反響板——一次資料の手がかりを得る……118
ついに問題発生（よい意味で）……119

第3章　成功するプロジェクトを設計する……121

一次資料とその使いかた（あるいはシリアルの箱を読む五〇の方法）……122
・やってみよう——一次資料をシリアルの箱と同じように扱う……133
・やってみよう——一次資料を思い描く……138
点と点を結ぶ——資料から議論へ……145
資料は自分を弁護できない……152
・やってみよう——資料を用いて点と点を結ぶ（ただし鉛筆で）……160
研究資源の評価……164
・やってみよう——意思決定マトリックス……168
・反響板——きみの意思決定マトリックスは完全か……172

二種類のBプラン……172
作業場を用意する……179
・やってみよう――無から資金を生み出す（正式な研究計画書を作成する）……185
・反響板――信頼できるメンターに研究計画書を読んでもらう
（ただしこれが予備的なものだと理解している人に）……195
きみはプロジェクトのスタート地点に立った……196

第2部　自分の枠を超える……199

第4章　きみの〈問題集団〉の見つけかた……205

問題を共有する研究者を見つける……205
・やってみよう――変数をひとつ入れ替える……212

・やってみよう――前とあとのゲーム……226
・やってみよう――きみの集団を探す（二次資料検索）……234
きみの〈集団〉に合わせて書き換える……239
・やってみよう――「仲間言葉」を見つけて書き換える……246
・反響板――計画案の一般用語バージョンは意味が通るか？……251
きみの〈集団〉にようこそ……252

第5章　〈分野〉の歩きかた

254
〈分野〉内の〈問題〉を知る……258
分野を読んでかれらの問題を知る：「文献レビュー」を再考する……260
・やってみよう――「きみの問題はなに？」書店を開く
（つまり、〈分野〉を〈問題集団〉で分類する）……265
・やってみよう――他者の変数を入れ替える……272

・やってみよう――きみの〈分野〉に合わせて書き直す……281
・反響板――きみの〈分野〉で〈反響板〉を探す……287
きみの〈分野〉にようこそ……288

第6章　はじめかた

289
心配はいらない。ただ書くだけだ。……291
・やってみよう――「第0稿」を作る……298
自分の言いたいことを理解する――〈第1稿〉を書く……303
・やってみよう――「0」から「1」へ……307
完璧は退屈……313
・反響板――自分自身と対話する……315
自分中心的研究の世界へようこそ……316

おわりに　研究者としての未来、次に待つものは？

おわりに　研究者としての未来、次に待つものは？……318
● やってみよう——新しい問題を見つけて、新しいプロジェクトを始める……319
● やってみよう——他者を手助けする……324
謝辞……330　参考図書……331

凡例：訳注は本文中〔　〕内、または「※」として示した

リサーチのはじめかた

「きみの問い」を見つけ、育て、伝える方法

はじめに

二〇〇〇年代初め、大学院に在籍していたころ、私たちは研究方法論の講義を担当して学部学生を指導することになった。その学科では必修の講義で、いちおう教授が教えることになっていたが、実際にはすべて私たちふたりに任されていた。ということでゼロから講義を組み立てなくてはならなかったし、どう指導したものか手がかりはほとんどなかった。ただ必要条件がひとつだけあって、それは学期の終わりまでに全学生が研究企画書を完成させなくてはならない、ということだった。つまり具体的な研究計画を立案し、その研究でどんな問題に取り組んで答えを出したいか、そのさいにどんな資料を用いるか、その研究によってどんな意味のある答えが出せて、どんな影響が期待できそうか、そういうことをおおまかに記述すればよいわけだ。

私たちはふたりで協力して、一学期間にわたる指導計画を練った。比較的短期間に、学生たちが本格的な研究プロジェクトを立案できるようにしたい。学部生としての経験、そして現在の駆け出し研究者としての自分自身の経験をふり返り、そのすべてをまとめてロードマップを──それこそ一二ステップの禁煙プログラムと同じぐらいわかりやすいやつを──作りあげた。完璧だ、そう思った。一次資料にあたること、メモを取ること、二次資料の注釈つき参考文献を作成すること、仮説を立てること、論文の構成を考えること、そしてその研究にどんな意味があるかまとめること、そういうことがこれで全部できるようになるだろう。

この計画に従ってやっていけば、パズルのピースを組み立てるように論文を組み立てていける。

はずだった。

なのになぜだろう。講義が始まってすぐに私たちの計画はつまずいた。毎週ふたりして互いのメモを見くらべ、気がかりなパターンに気がつく。「やさしいロードマップ」を作ったはずが、学生たちは立ち往生し、ガレージから車を出すのもひと苦労で、せっかくそのために地図を作ったのに全国横断の旅に出るなど夢のまた夢だ。なにを研究したいかもわからないのに、どうやって参考文献を集めればいいのか。一般的な興味はあってもとくにこれといった疑問もない――そういうとき、どうやって適切な問いを立てればいいのか。どんな問いを立てていいかわからないのに、その問いの意味を考えろと言われても。ある文献を読んで面白いと思ったが、それをどう論文につなげていったらいいのかわからない。

あっという間に学期も半分過ぎたが、ほとんどの学生はこれといったプロジェクト案すらまだ見つけていなかった。みんな予定より大幅に遅れている。そもそも取り組むべき問いが立てられないのに、「文献を掘り下げて調査」したり「仮説を立て」たりすることがどうしてできよう。これをやりたいという気持ちをプロジェクト化することがどうしてできるだろう、そもそもなにがしたいのかわからないのに。

一部の学生はあきらめて、とくに面白いとも思わない問題を選び、私たちの指導に沿って忠実に作業を続けることにした。しかし、なにか選ばなければならないからという理由でそのテーマを選んだのは明々白々だった。期限が近づくにつれ、学生たちも私たちも焦りを募らせていった。

あとから考えれば、なにがいけなかったのかは一目瞭然だ。**最もむずかしいのは、研究に着手する前の段階なのだ。**どんな問いを立てたいのか、どんな問題を解決したいのかまだわからない、その段階がいちばんむずかしいのに、そのことを私たちは忘れていた。研究というものは、中核的な問いが明らかになったあとに始まるのではない。なにを研究するかわかる以前にすでに始まっているのだ。これは研究というものの根本的な皮肉であり、それをどう乗り越えていくか、教えてくれる道案内はどこにもいない。

本書は、私たちふたりが積み重ねてきた経験から生まれた本だ。何十年も教師をしてきて、そのあいだずっと考えつづけてきた——研究という道程に乗り出そうとする学生たちを導こうとして、かれらにはその能力もやる気もあったのに、私たちはさんざん苦労したすえに失敗したわけだが、そのさいに気づいたことがあった。世のなかには、なにを問えばいいか、なにが問題なのかすでに知っている研究者に向けて、「研究方法」を説明する本はあふれているが、そもそもなにを問うか、なにが問題なのか、それを決めかねている学生の参考になる本は一冊もない。どのようにおおまかな構成を考え、原稿を書き、校正し、文献を引用するか、そういうことをみごとに説明してくれる本は何冊もある。そしてそういう本は、そのプロジェクトに適当な規模をどのようにして選ぶか、若き研究者に有益なヒントも与えてくれる。すでに行き先がわかっていれば、どの道を行けばいいか教えてくれるだろう。しかし、どこに向かえばいいのかわからないうちに、どうすればいいか教えてくれる本はない。**どの本も、どこから歩きだせばいいか教えてはくれない**のだ。

　研究の進めかたを教える本はどっさりあるのに、自分がなにを研究したいのか見極める方法を教えてくれる本はほとんどない。これはなぜだろう。その理由はすぐにわかる。人はふつう自分の「やりたいこと」を最初から知っていて、あとはそれを追究するだけだとみんなが思い込んでいるからだ。だれでも最初からやりたいことがあって、それにはっきり気づいているとみんな思っているのである。

　私たちはそうは思わない。だれしもそれぞれにやりたいことがあるとは思うが、ただみんながみんなそれに気がついているとは限らない。やりたいことはあっても、正確に言語化できないかもしれない。それどころか、なにをやりたいのかまったく気がついていないこともある。

それは自分のことがあまりよくわかっていないからだったり、自分の興味があること、好きなことが「やりたいこと」の数に入るとは思っていないからだったりする。さらにややこしいことに、自分が本当はなにをしたいのか勘違いしていることもある。これは人が思うよりずっとよくあることなのだ。なんと言っても、私たちはみな外的な期待（社会や文化や家族の期待など、現実にある期待も、あると思い込んでいるだけの期待もある）に囲まれて生きているから、それを自分自身の期待だといつのまにか思い込む。自己を省みるすべや自分を信頼するすべを学ぶより、人はもっと手っ取り早い道を選びがちだ。他人のやりたいことを採用して、それが自分のやりたいことだというふりを一生懸命してしまうのである。

言い換えれば、どこから研究を始めるかという問いに直面したとき、人はついつい自分の外に答えを探してしまうということだ。外的なお墨つきを求め、他人に自分の課題を決めさせてしまう。しかし**研究というものは、研究者が自分のなかにある問題を見極め、それに対してどうすればいいか考えることから始まる**ものだ。生まれて初めて講義を担当したとき、私たちはそこに気づいていなかった。そうとは知らずに、能力を十分に発揮する機会を学生たちから奪ってしまったわけだ。自分で自分をじっくり観察する時間を与えれば、学生たちは研究者としてはるかに実りある経験ができただろう。

私たちは二〇年近く経って再会し、誤りを正す機会を得た。何年も前のあのときにこれを教えたかった、その講義内容をまとめたのがこの本である。本書の根幹をなす指導原理を、私たちは〈自分中心的研究〉と呼んでいる。

「自分中心的研究」宣言

本書で推奨するのは、研究に対する「自分中心的」アプローチである。研究の初期段階に着目し、研究という旅に乗り出すさいに役立つさまざまなテクニックや心構えを説明する。これによって、正しい方向——つまり、きみ自身にとってひじょうに重要な問題——を見定めて、そちらに向かって出発することができるだろう。

さて、〈自分中心的研究〉とはなにか、なぜそれがよいのだろうか。

まず明確にしたいのは言葉の意味だ。なにを意味するのか、そしてなにを意味しないのか、である。

〈自分中心的研究〉を定義すれば次のようになる。

1 **実践**の面から言えば、まさに自分がいまいる場所から研究の道程に踏み出すこと、そして自己——自分の直感、興味、志向——との密接なつながりを終始維持することが重要だ。「自分中心的な」研究者であるためには、どんなときも自分の二本の足でしっかりと立ち、自分のなかに重心を保たなくてはならない。実在も定かでない外的な審判者が喜びそうという理由で、テーマや問いを選んではいけない。

2 **精神的**には、研究者としての自己の能力と限界を自覚し、意識的に評価することである。自分を中心に置くというのは、自分が何者であるかを知り、自分自身の直感に耳を傾け、それが子供っぽいとかあいまいに思えるときでも信頼し、研究を進めつつそれを深化させていくということだ。

3 **考えかた**としては、課題を明確にし、研究の方向性を決めるうえで、自分のアイディア、前提、そして関心事を重視することである。研究者としての自分の関心と動機をよりよく（そしてより短期間で）理解できれば、きみにとって、そして広く世界全体にとっても研究する意義のある問題を、よりうまく（そしてより短期間で）発見できるだろう。その問題はしかし、だれよりもまず研究者本人、つまりきみにとって重要なものでなくてはならない。

〈自分中心的研究〉とはなにかについて述べたので、次は「なにではないか」を明らかにしていこう。

〈自分中心的研究〉とは、エゴのたがを外す（というかエゴを膨張させる）という意味ではない。自分を中心に置くとは、自分のことしか考えないとか、自惚れるとか自己満足とか、他人に頼らないとか、逆に自分に甘くて自分勝手とか、要するに利己的という意味ではないのだ。

まったく逆である。自分中心的な研究者はたえずわが身をふり返り、自分で自分を批判しつづける。自分の興味や動機や能力について嘘をつかず、自問自答をくりかえしている。しかし、他者の意見の妥当性を評価できるだけの公平さと自信も持ちあわせている。つまり、広く認められた常識に挑戦する能力があるということだ。そしてその「常識」には、自分でも気づかないうちに信じ込んでいた根拠のない考えも含まれる。

また、〈自分中心的研究〉とは自伝的な研究という意味ではない。きみの書く論文や記事やレポートや本が、きみの人生を物語っているということではないのだ。ドキュメンタリーを制作しても絵を描いても、なんでも自画像になるわけではないのと同じだ。

〈自分中心的研究〉の最終目標は、従来どおりの研究と同じく、私たちを取り巻くこの世界の一面について、実証的で、根拠があり、理論的に裏づけられた、説得力のある研究成果を生み出すことであり、また他者の考えかたをもそれによって変化させることだ。しかし、他者にとって真に重要な問題を見極めて解決するためには、だれよりもまず自分にとってそれが重要な問題でなくてはならない、というのが〈自分中心的研究〉の考えかたである。

要するに、ちょっとした好奇心とか「いい思いつき」、あるいは第三者から割り当てられた仕事とか、そういうものを研究の焦点に据えてはいけないということだ。これはすぐれた研究成果を生み出すための第一の必須条件である。

以下では、問い——きみにとって重要な問い——をどのようにして生み出すか順を追って見ていこう。そしてきみの情熱と努力を通じて、それが他者にとって重要な問いともなり得ることを説明する。

中心のある研究こそ最高

研究はとても楽しい。ひとつには、少なくとも理屈の上ではなんでも研究できるからである。しかし、だからこそ人は途方に暮れてしまう。

いったいどこから始めたらいいのだろう。

その答えはこうだ——まさにいま、きみが立っている場所からだ。

本書の柱をなすのはふたつの命題である。ひとつ、最初にいくつかの条件を適切にクリアすれば、研究は人生を変えるような経験になりうる。ふたつ、研究に着手するさいに最も重要なのは、自分の中心を見つけることである。研究とはたんに問題を解決する作業ではなく、そんな問題が存在することすらきみが――そして他の人々が――知らなかったような、そういう問題を見つける作業でもある。研究は発見と分析と創造の作業であり、それがやがて独自の勢いを獲得し、刺激し刺激されの好循環を生むことにつながる。深く埋もれた問題は、自分自身を信頼し、一次資料にあたり、時間をかけることによってのみ見えてくるものだ。自分はなにが研究したかったのか、それをきみに教えられるのはきみ自身だけ、ほかのだれでもない。「なにを研究するか」という問いに答えるには、鏡をじっくり見つめるしかないのである。

なるほど、「なにを研究すればいいのか」という問いに答えられるのは自分だけだと。だとしたら、この本を読んでなんになるのか？

もっともな疑問だ。

研究プロジェクトを生み出す秘密の方程式を知っているなどと言うつもりはない。なにを研究すればよいか教えることはできない。本書で教えられるのは、いくつかの問いを立てることできみのなかに潜在する研究課題を発見し、そこから実際に研究プロジェクトを立ち上げる、そこまでの道のりをスムーズにたどるのに役立つ具体的なテクニックだ。

ということで本書の目的は、きみの心に火――ジャズドラマーのバディ・リッチが天才を評して言った言葉を借りるなら、「みずから点(とも)る火」――をつける理想的な条件を生み出す手助けをすることだ。それだけではなく、複雑で不確実であいまいな状況において、バランスと明晰さをいかに保つかについても説明する。また、非生産的な不確実性（まちがった道に踏み込んでいて、引き返したほうがよさそうだという場合）と、生産的な不確実性（道に迷ったように感じるかもしれないが、内なる直感と叡智が先に進めと励ましている場合）とをどうやって見分けるかについても教えよう。

初めての研究テーマを探しているなら、本書を読めば助けになるだろう。いいアイディアがどっさりあって、問いを生み出すのに困っていないなら、どのアイディアや問いに時間を注ぎ込むのがよいか理解するのに役立つだろう。すでにしっかり計画されたプロジェクトに着手しているなら、その研究を深化・純化させ、自分でも気づかなかった可能性を明らかにするのに役立つだろう。また経験を積んだ研究者や教師なら、研究の哲学やさまざまな戦略を知ることができ、それを学生に教えたり自分の研究法を改善するのにも利用できるかもしれない。

本書は、なによりもまず実践的であることを目指し、次のような場面で確実に役立つ具体的なテクニックを紹介する。

- 研究テーマを選択する。
- そのテーマから具体的で面白そうな問いを生み出す。
- その問いが生まれるもとになった潜在的な問題を明らかにする。

- そのテーマに関して自分のなかにある（かもしれない）思い込み、偏見、先入観を明らかにし、対応策を講じる。
- その問題に関わる利害関係を明確にし、競合する利益と関心に優先順位をつける。
- 同じ「テーマ」（つまり、きみの「専攻」や「分野」）を扱っている研究者と広く接触し、その仕事について知る。
- 自分の専門分野の外に目を向け、関連する研究者コミュニティを見つけてその関連性を調べる。
- 研究プロジェクトに役立ちそうな資料を探す。
- 見つかった資料をもとに問いに磨きをかけていく（とくに予備調査段階で）。
- プロジェクトの初期段階は迷いの出やすい危険な時期だから、その間に遭遇する精神的なつまずきの石に対処し、前進の勢いを維持する。
- 研究者として、頭の柔らかさとフットワークの軽さ、鋭い観察眼と熱意をもちつづける。

このような能力はどこでも不足している。ここでは学問の世界の言葉を使っており、論文だの学位だの、学生や講義や教師について語っているが、このような能力はさまざまな分野や職業でも広く求められる重要なものだ。以下で紹介する考えかたや演習は、ビジネス、ジャーナリズム、アート、デザイン、エンジニアリング、コミュニティ構築、起業などにも応用できる。本書でとりあげる能力は調査研究の基本だから、どんな分野や専門レベルの人にでも役に立つだろう。

この本の使いかた

本書を使うさいには以下の点に気をつけてほしい。これはきみがどんな研究者であっても変わらない。

- **書きながら読む。**これはまず第一にお勧めしたい。本書を読み進めるうえで最も重要なのは、自分の興味関心、前提や思い込み、問題、アイディアを記録することだ。これを本書では「自分証拠」と呼ぶ。本書で概要を述べる研究法は頭のなかだけで完結するものではないし、多くの演習では考えを文字で記録することが必要になる。道具はなんでもいい。ノートとペンでもいいし、電子的に記録するのでもいい。なんならチラシの裏やホワイトボード、石板だってかまわない。この自分証拠は、あとで何度も何度も見返すことになるだろう。書き足りないよりは書きすぎるぐらいのほうがいい（なぜそんなに書かなくてはならないのか、それは最初の演習のところでくわしく説明する)。

- **必要に応じて演習と読み込み、書き出しをくりかえす。**本書の内容はすべて、くりかえし実践できるように書かれている。とくに次のような場合はぜひ。
- **その練習問題を自分のプロジェクトに応用する場合**(ただし、まだ自分のプロジェクトを立ち上げていなくても心配はいらない)。いくつか実例をあげてあるが、ここで紹介するアイディアは、自分の仕事に実際に応用して初めて目標達成に役立つのだ。

以下の三つのセクションがあちこちで出てくるが、これらのセクションでは、研究開始時のさまざまな段階でアイディアを実行に移す方法が説明されている。

- やってみよう
- よくある失敗
- 反響板

やってみよう

各章では、特定の目標——問いを立てる、問いに磨きをかける、問いと問いを結びつけるパターンを見つける、研究の動機となる問題を特定するなどなど――を達成するのに役立つ、実践的な演習やゲームに取り組んでもらう。研究者によって効果的なアプローチは異なると思うので、多種多様な演習が用意してある。演習はすべて一連の大原則に基づいている。その原則とは

- 注意深く、かつ虚心に自己を観察する。
- あやふやで根拠のないちょっとした思いつきでも、声に出して言って構わない、むしろ積極的に言ったほうがいいと自分を励ます。
- 紙に書き出す。

本書は最初から最後まで通しで読むことが望ましいが、あちこち拾い読みをしたいという人もいるだろう。研究は行ったり来たりやり直したりするもので、直線的に進められるものではない。同様に、本書も何度も読み返すことを前提に書かれている。初めて読むときに順序よくすべて取り組むかどうかはともかくとして、本書を役立てるためには演習をしっかりやりこなすこと、そして先にも述べたように手を動かして書き出すことが絶対に必要だ。

このようにひっきりなしに書けと言うのは、それが本書で言う「自分に関する証拠」すなわ

ち「自分証拠」を作成することになるからだ。この自分証拠を手がかりと見なして、きみは研究の初期段階で答えを出すべき重要な問い――なぜこのテーマに関心を持ったのか。このテーマのどこが、より大きな課題に対して重要な鍵を握っていると考えるのか。なぜこの一次資料が目に留まったのか。取りあげられそうなテーマはほかにもあるのに、なぜこのテーマにいつも戻ってきてしまうのか。なにが私の〈問題〉なのか――に答えていくことになる。

自分証拠は貴重な情報記録法のひとつだが、多くの研究者はこれを軽視していると思う。たぶん、いわゆる「自分探し」の日記帳のようなものと片付けているのだろう。主観的でエピソード証拠的な情報にすぎず、プロジェクトの「メイキング」ドキュメンタリーを制作するなら役に立つかもしれないが、そんなものは真の研究活動とは言えないと、そう考えられているわけだ。私たちはそうは思わない。そんな偏見を抱いている研究者は、もっと自分自身を見つめなおしたほうがいいのではないだろうか。

そういう自己省察を、習慣的に研究に取り入れることを私たちは推奨している。〈自分中心的研究〉のさいに作成する自分証拠は、経験を積んだ研究者が一次資料を読むときやインタビューのとき、民族誌学的な現地調査を行なうとき、あるいは書誌情報を書き写すときに作成するメモ書きのようなものだ。それを自分証拠と呼ぶのは、研究の初期段階にあっては、それが事実や引用、観察など周囲の世界に関するその他の証拠の記録よりも、はるかに大きな価値を持つからだ。つまりきみ自身に関する証拠になるのである。これを手がかりとすることで、自分のなかにある隠れた疑問や問題点を浮き彫りにすることができる。研究の初期段階でそれがわかれば、時間の節約になるし、迷いやもやもやを解消することもできる。しかしそれ以上に重要なのは、自分にふさわしい研究プロジェクトにたどり着ける公算が大きくなるということだ。

よくある失敗

「やってみよう」の演習の次には、かならずこのリストがあげてある。この失敗のほとんどは、以下の三つのカテゴリーに分類できる。

1 批判を恐れて予防線を張る。
2 自分の声に耳を傾けない。
3 メモを取らない。

これらの演習を使って、他の研究者や学生たちを指導してきて気がついたことがある。自分を守りたいという衝動（つまり防衛本能）を抑えたり、想像上の権威の声――一定の方向に沿った調査研究を推奨し、それ以外を許すまいとする——に耳をふさいだりするのは、ときに非常にむずかしいということだ。

こういう悪習のせいで、内省に至る道が気づかないうちにふさがってしまうのだ。よくある失敗を知っていれば、このような衝動を抑え、虚心な自己観察に集中することができるだろう。そのさいはかならずメモをとろう。そうやって書き留めておいた記録は自己観察の基礎となり、プロジェクトを形にするのに役立つからだ。なにもかも憶えておこうとするのはやめよう。ひらめきはすぐに記憶から抜け落ちてしまうものだ。これから何度も警告することになるが、あとでまとめて書こうと思ってはいけない。いま考えたことをいま書き留めるのだ。

反響板

〈反響板〉に自分のアイディアを投げかけるのはときに役に立つ。ここで言う〈反響板〉とは、教師や師匠(メンター)、友人、研究仲間など、相談相手になってくれる人のことだ。相談するときになにに気をつけたらいいか、本書では具体的な方法を提案する。〈反響板〉に向かって話すのは、自分のアイディアや文章をべつの角度から見直すことにつながり、自分自身を客観的に見直すのにも役立つ。自分のアイディアについて話すうちに、最初は気づかなかった側面が見えてきたり、知らず知らずにやっている自分の考えかたの癖が見つかったりするかもしれない。〈反響板〉は自分自身を見つめなおし、よりよい決断を下すのに役立つから、研究の初期段階で信頼できる人と話すことをぜひ習慣化しよう。〈自分中心的研究〉をマスターすれば、いずれは自分で自分の〈反響板〉を務める能力も身についてくる。

〈反響板〉を用いるさいには、ひとつ重要な点に注意してほしい。**教師や相談役などの権威ある人物からの善意の提案**――つまり、どんなことを「研究できる」か、あるいは「研究すべき」かという――**は、研究の初期段階において非常に大きな影響力を持つ**ことがある。迷っていたり、萌芽的なアイディアの価値にまだ自信が持てなかったりしていると、上司や教師からの提案（高飛車な提案ならとくにそうだ）は命令のように感じられがちだ。あるいはそれが安全ネットになってしまい、「これよりよいのは思いつきそうにないし、もうこれでいいじゃないか」ということになってしまったりする。親切に指導してもらうのは、手っ取り早く話を先に進める便利な方法に思えるかもしれない。面倒な自問自答などすっ飛ばすこともできる。信頼できる相談相手が重要だと言ってくれた、できあいのアイディアに飛びついてしまっても、なにも問題はなさそうに思える。しかし残念ながら、それが足かせとなって逆効果をもたらすことがあるのだ。

　私たち自身、指導者として何度も経験がある。最初に私たちが何気なく口にしたアイディアに、学生たちは足をとられてしまう。そんなときには、数か月後に出てきた論文を見て、ほんとうにこれが書きたかったのかと納得できない思いをすることになる。それで最善の結果が得られることはまずない。研究で重要なのは安全策をとることではなく、危険を恐れず前進して、新しいものを発見し創造することだ。指導者にアドバイスを求めれば、他の人と同じ道をたどって同じ結論に至るといった、むだなことをせずにすむ場合もあるだろう。しかし、きみが研究プロジェクト案を持っていって「これでいいと思いますか」と尋ねたら、真の指導者の答えはただひとつ――「きみはそれでいいと思うの」である。

経験から言うと、時間をつぎ込んでも答えを見つけたいと心底思う課題でないと、よい成果をあげるのはもちろん、最後までやりとげるのすらむずかしいものだ。だから〈反響板〉と話をする前でも、また研究資料に真剣に取り組む前であっても、本書の第1部に書かれたステップに従って、自分の中心を見極めることがたいせつだ。

内側が第一、外側は第二

研究プロジェクトの着手段階では、まず自分自身の内面を見つめ、次に外側に目を向けるというふたつの作業が必要になる。本書第1部では、自分中心の研究者となるための内観重視の方法を紹介する。これまで身につけてきた経験や興味関心、優先順位、思い込みについて見直し、それを最大限に活用して研究の方向性を決定するにはどうしたらいいか考えよう。この方法は通常のブレインストーミングよりすぐれている。なぜなら自分の価値観を総ざらいすることが必要になるからだ。きみにとって重要でないこと、きみにとって重要だと思っていること、ほんとうにきみにとって重要なことを区別しなくてはならない。

研究者コミュニティに相談して自分のアイディアを検証するより先に、この内観作業に手をつけるのが一番だと思う。アイディアは山ほどある——そのすべてが等しく有益というわけではない——し、研究の最初期であっても、そのどれを自分のプロジェクトに取り入れるべきかじっくり評価するほうがよい。また権威もどっさりある（そしてこれまた、そのすべてが等しく有益というわけではない）から、自分がなにをしたいのかまだあやふやなこの危険な段階では、それに過度に左右されてしまう恐れがある。

自分中心の研究者になるためのステップを踏んでいくと、研究者コミュニティの問い、方法論、理論、プロトコル、前提、そして集合的な経験に照らして、自分のプロジェクト案を評価したり、改善したりする準備が整ってくる。第2部では、この外観という作業に焦点を当てて説明する。その目的は、従来「研究分野」とか「専門」と呼ばれる研究者コミュニティとうまくつきあえるようになってもらうことだ。最初のうちは、勝手がわからずまごまごしがちなものだから。また、類似の問題に関心はあるが同じ研究分野に属していない研究者——本書では

〈問題集団〉と呼ぶ——を見つける方法についても説明する。研究分野や専門は、学科とか団体、専門雑誌、学位によってわりあい簡単に特定できるものだ。〈問題集団〉はそれほど自明とは言えないが、本書の重要な考えかたなので第2部の最初で取りあげることにする。

やってみよう——ここで、いますぐ書く

目標

研究のアイディア出しの段階で、メモをとることを習慣にする。まだプロジェクトがきちんと形をとる前であっても、研究に関して考えたことや推測したこと、目的などを書き留めるところから始めよう。

さあ、書きはじめよう。そのとおり——いまここで、このページに書くのだ。先に述べたとおり、この本は学習帳だ。大事な試合の前の激励演説ではない。行動

前の前奏でもない。黙って受講する講義でもない。私たちが書いたのは本書のほんの一部で、**いちばん重要な部分はきみ自身が読み進めながら書いていく**のだ。この本は手引きとして、マニュアルとして、塗り絵帳として使ってほしい。わからないことや思いつきや疑問点を余白にびっしり書き込もう。傍線を引き、マーカーを使い、ページのかどを折って目印をつけよう。

本書の各セクションには、この「はじめに」もそうだが、書く作業や演習がかならずあって、研究の目標や優先順位や計画について考えているうちから、さっそく書き始められるようになっている。本書を通じて何度も力説することになるが、研究は直線的に進められるものではないから、いまやっている書く作業も「下書き」ではなく、あとで捨ててかまわないむだな落書きを生み出しているわけではない。肩慣らしではないのだ。いま書いているメモも研究の核となる作業、すなわちアイディアを生み出し、記録し、検討し、新たな情報に基づいて修正し、疑問を解消してより正確に表現する方法を、たえず探しつづける作業の一部なのだ。

本書を使って（あるいは本書に）した書き込みは、すべて研究を進める助けになる。なぜなら

- アイディアの進化記録――「自分証拠」――になる。
- 自分の考えたことをたえず外面化することで、記憶の助けとなり、また共同研究者の参考にもなる。
- 研究初期段階のさまざまな場面で、その場面ごとに異なる種類の文章を書いていくことにより、一歩一歩段階的に、プロジェクトを構築していける。
- 書く作業を研究者としての当たり前の習慣にできる。

というわけで、研究プロジェクトで達成したいといま思っていることを、下の余白に書いてみよう。どんなテーマや問いに興味があるのか。なにが達成できたら、きみにとっての「成功」になるのか。どんな結果が出れば理想的なのか。これは憶えておこう――制約などない。だれのためでもない、これはきみ自身のために書くのだから。

よくある失敗

- 他人のために書いてしまうこと。このブレインストーミングでは、人を感心させる必要はないし、重要そうに聞こえる必要も、目標を合理化する必要もない。自分が研究したいと思うことをそのまま書けばいいのだ。

第1部

自分中心の研究者になる

この第1部では、問いを自分の中心にすえ、自分のなかにある興味関心とそれらをすりあわせる作業を具体的に解説していく。自分のなかの興味関心とは、人生やこの世、さらには存在それじたいについての疑問や関心のことだ。だからといって、浮世離れしているとか、哲学的だとか、自伝的な研究をせよということではない。自分自身のことを書けというのではなく、また外的な理由で書くのでもなく、自分の内側から書くということだ。これは内観的な意思決定作業であり、研究プロジェクトの開始段階ではきわめて重要な作業になる。

この段階の目標は、自分の動機と価値観をじゅうぶんに認識し、優先順位を確立し、自分の強みと能力と限界をはっきりさせておくことだ。この段階を踏むことによって、研究者としての自負と自信が身につき、より広範な研究者コミュニティに存在する、さまざまな声や問題意識をぞんぶんに活用できるようになる（これについては第2部でくわしく説明する）だろう。

第1部の基本的な構成は以下のとおり。第1章では、漠然としていて大風呂敷に聞こえるテーマ（自分で思いついたものであれ、他の人から割り当てられたものであれ）を、具体的で現実的で、とは言えまだ予備的な問いの集まりに落とし込む方法を説明する。第2章では、第1章で得られた問いを分析し、問いのあいだに存在する（一部の問いのこともあれば、ほとんど、あるいはすべての問いのあいだに存在することもある）パターンを見出す方法を学ぶ。最初はばらばらな問いの集まりに見えたものが、急にその関連性が見えてきて、意味のある全体像を形作っているのに気がつくだろう。これが到達すべき第二の重要な目標、つまり自分のかっこつき〈問題〉を見極めることだ。第3章では、きみの問いと〈問題〉から出発して、一次資料に基づく実行可能な研究プロジェクトを生み出す方法を学ぶ。

この第1部ではなによりもまず、研究の初期段階において思考の切り替えが非常に重要である理由を説明する。生まれ持った好奇心を、洒落た外づらのよい言葉で粉飾するのをやめて、ぱっとしない上になにが言いたいのかもわかりにくい、内から発する言葉に頼らなくてはならない。自分で自分をごまかすリスクは常に存在する。この第1部で説明するのは、そのリスクを避ける方法だ。

第1章 問いとは?

本章では、研究の最初に直面する難題をいかに乗り越えるかを説明する。その難題とは、範囲が広くて漠然とした**「テーマ」を、どのようにして具体的で**(少なくともきみにとって)**興味をそそる問いに落とし込むか**ということだ。研究に取りかかろうかという最初の段階では、たいていの人は特定の問いを念頭に置いていない。あるのは面白そうなテーマだけだ。きみはすでに「はじめに」で自分の関心のあるテーマを書き出してきているはずだ。最大の問題は、興味の持てるテーマを見つけることではなく、その一般的なテーマを具体的な一連の問いへと変身させることだ。一見すると簡単そうだが、これがじつはびっくりするほどむずかしい作業で、ここでは自信を持つことも必要だが、それを疑うことも必要になる。

テーマは問いではない

テーマはあるに越したことはない。どんな研究プロジェクトでも、その開始時にテーマがあれば便利だ。テーマがあれば研究の分野や範囲がだいたいわかる。テーマは支えになり、自分は何者で、どんな役割を担っているのか自覚させてくれる。私は研究者で……ハーレム・ルネサンス※を、ソビエト史を、女性学を、実験詩を、都市計画を、環境史をやっています、というわけだ。テーマがあれば心強いし、自分のことも方向性のこともわかっていると感じられる。

しかし、テーマに完全に頼ることはできない。範囲が広すぎるし、抽象的すぎる。テーマは大学や企業や研究機関を組織するために使われるものだ。テーマX学部とか、テーマY研究所、のように。だから「テーマQの教授」という形で名刺にも顔を出す。テーマはこの世界に関する人々の見かたを形作るものだ。しかし、研究者にとっての用途は限られていて、それには明白な理由がある。テーマは問いではないということだ。

テーマと問いはどう違うのだろうか。ここでその違いを列挙してみよう（表1参照）。

もうわかるだろう。テーマは研究の**障害**になることさえある。どんなテーマに興味があるか研究者が語るのを聞いても、そのテーマに関する数限りないアプローチや考えられる問題のう

※　一九二〇年代から三〇年代にかけて、ニューヨークのハーレム地区を中心に起こったアフリカ系アメリカ人による文化運動

表1　テーマと問いの違い

テーマ	問い
名詞。 修飾語を伴うことが多い	クエスチョンマークで終わる文章
広範だったり具体的だったり	広範だったり具体的だったり
好奇心の対象を示す	好奇心の対象を示すと同時に、 その好奇心をどう満たしたいか というある程度の意向を示す
無数の問いが生じるが、それらの 問いは千差万別で方向性が 定まらないことが多い	より具体的な、 関連する問いを生み出す
答えがない	答えがある。ときにはいくつも

ち、どれを選ぶつもりなのか、なぜそのテーマに関心があるのか、まるでわからない場合が多い。早い話が、テーマについて話すときはなんの話でもできるし、したがってなんの話もしていないのと同じなのだ。

ハーレム・ルネサンスがなんだって？　ソビエトの経済史がどうした？　環境史ってどこの？　そんなふうに、研究テーマを聞いただけでは、研究者としてなにが動機なのかわからないし、ましてどんな方向性の研究をしているのかなど見当もつかないだろう。ハーレム・ルネサンスの研究と言っても、都市の人口移動についての研究かもしれないし、あるいは詩とか思想史だったり、住宅市場の研究である可能性もじゅうぶんにある。またソ連経済史を研究しているといっても、関心があるのは鉄鋼生産技術の歴史かもしれないし、第二次世界大戦中の労使関係だったり、モスクワにおける経済関連のシンクタンクの発展についてかもしれない。同様に、ひとくちに環境史と言っても、関心対象は外来種問題かもしれないし、水力発電ダムやファイヤースティック農業〔オーストラリア先住民の伝統的農法〕かもしれない。要するになにもわからないのだ。どの方向性も（他にもいくらでもある）等しく考えられるが、なかにはその研究者にとってまったく興味がない話もあるだろうし、それどころか涙が出るほど退屈な話もあるかもしれない。環境史を研究している人でも、「同じ」環境史の研究者より、ハーレム・ルネサンスの研究者のほうが共通点が多いという人もいるだろう。**テーマそれじたいは、研究の指針としてすぐれているとは言えない。**テーマが障害になりうるというのはそういう意味だ。

テーマはあるのにそれをプロジェクトにできなくて苦労しているとき、よく言われるアドバイスが「絞り込め」だ。

私たちはこれを**「テーマを絞り込めの罠」**と呼んでいる。

一見すると当然の理屈に思える。「狭い」テーマのほうが「広い」テーマよりとっつきやすそうだ。しかしこれは多くの研究者、とくに経験の浅い研究者を袋小路に追い込むことになる。範囲を狭めれば分析すべき資料の量が減るから、確かに「いつ」「どこで」という問いには答えられる。しかしたとえ「狭い」テーマであっても、テーマがあるだけでは不十分だ。なぜなら「いかに」「なぜ」という問いには相変わらず答えられないからである。自分の狭いテーマについて人に話しても、きみが何をやっているのか相手にはやっぱり伝わらないだろうし、たとえ「狭い」テーマであっても、それだけではきみ自身なにをどうしていいかわからないだろう。

早い話が、**テーマという国からの出口を「絞り込む」ことはできないのだ。**

研究者はみな、「なにを」「どのように」研究するかを考えなくてはならない。しかし、使う価値のあることに時間と労力を使いたいと思うなら、その「なにを」「どのように」の前に「なぜ」という問いに答えることが必要だ。

ちょっと例をあげてみよう。ある学生が、歴史学の課題で書く論文のテーマをトムと話しあった。学生の説明するところでは、論文のテーマは中国の風水。土地や自然環境はエネルギー的に生きているというのが風水の考えかたで、生者だけでなく死者の来世にも、そのエネルギーによる影響は（よくも悪くも）及ぶとされている。これらのエネルギーの理（ことわり）と流れに合わせて住宅や都市を建設すれば運勢は向上するが、無視したり侵害したりすれば破滅が待っているというのだ。

たしかに風水は有望で、やりようによっては面白いテーマだが、学生がなにを考えているのか、この時点でトムにはいまひとつ理解できなかった。このテーマについてどんな問いを立てているのか。その問いに答えることでなにが得られるのか。つまりなぜ風水なのかということだ。

学生は「百点満点」の語彙で武装しており、講義で学んだ重要な用語や概念を用いて、明らかにこの面談の前に予行演習をすませていた。風水は「中国の近代化」を検証する手がかりになると学生は説明した。中国が「前近代」から「近代」に移行するさいの「知識の生産」を検証できる、というわけだ。プレゼンはどこをとっても立派なものだった。

しかし、やはり腑に落ちないものが残る。

なるほど、だけどなぜ風水なの。「中国の近代化」を理解するのが最大の関心事だとすれば、論文のテーマを風水にする必要はないよね。教育改革とか化学の発展、翻訳の歴史とかだっていいじゃない。近代化という問題に「取り組む」方法は、それこそ無数にあるよ。

学生はトムを説得しようとまた全力で説明を始め、「賢そうに聞こえる」理由を片っ端からあげていった。たとえば「文献にはギャップ」があるとか——これは学問的な隠語のようなもので、「知識の地図にまだ埋められていない重大な空白がある」という意味だ。その歴史地図を埋める「介入」として風水は有望ではないかと思う、とも学生は言った。これまた学者の世界でよく聞かれる隠語だ。要するに、この学生はトムと業界用語で話をしようとしていたのだ、指導教官は学者だからそういう用語を使えばうけると思って。

それでもまだ疑問は晴れない。「文献にギャップ」があるというのは、もっかのテーマが疑う余地なく重要であり、それに取り組む必要があるということを前提にしている。しかし、だれにとって、なぜ重要だというのか。そもそも人間の知識には「ギャップ」などいくらでもある。なぜこの特定のギャップを埋めようと言うのか。

こんなふうに問われて詰まってしまうのは、たんに学生が「経験不足」だからだと片付けることはできない。ほとんどの研究者は（どんなベテランでも）本能的に、まだ考えついたばかりの研究案を「重要」だとか「意味がある」といった用語を使って正当化しようとする。架空の、そして外部の審判によってそう評価されているというわけだ。しかしそもそもからして、ここで必要なのは外部の審判などではない。**研究プロジェクトの最初期の段階で必要なのは、きわめて個人的な問いに答えること**だ——面白そうな研究テーマはいくらでもあるのに、なぜ私はとくにこのテーマに惹かれるのか。言うなれば、このテーマは私とどんな関係があるのか。なぜ私はこれが気になってしかたがないのか。

ここに来て無視できないほどの間があって、学生の雰囲気が変化した。口調がやわらぎ、声も少し穏やかになった。肩から力も抜けたようだった。教授を感心させるために、学生がパフォーマンスをしているという印象が急に薄れた。話しぶりもあけっぴろげになり、打ち明け話でもするような雰囲気になってきた。学生は心底からの理由を言葉にすることにし、賢そうにふるまうのをやめて、ほんとうに賢い自分をさらけ出しはじめたのだ。

「私の母は弁護士です」と学生は続けた。「高い教育を受けているし、こんなに合理的な人はいないってぐらい合理的な人です。ぜんぜん迷信深い人じゃありません。なのに風水を信じてるんです——本気で信じてるんですよ。それが私には理解できないんです」

そのとたん、これまでとは違う質問が次々に飛び出してきた。「合理的」な人はほかにどんなことを信じないと思う？　瞑想とかヨガとか、リフレクソロジーとか、数秘術とかは？　心理学とか、経済学なんかもどう？　その「合理的かそうでないか」の境界を決めるのはだれ、またはなんだろうか。その境界は世界じゅうどこでも同じだろうか。そういう合理性に関する見かたは、歴史的に見てどんなふうに、いつ形をとってきたのだろうか。そしてそれはなぜか。ほかの時代、あるいはほかの文化の一次資料を見たらなにがわかるだろうか。それはそうと「合理的」とはどういう意味だろう。どうして私はその言葉を使っているのだろう。「合理性」は論理に依存していて、風水は非論理的だと私は思っているのだろうか。それとも、風水と合理性は相容れないと思う理由がほかにもあるのだろうか。

まるで眩しい都会の照明から逃れたようだった。ふと気づけば、頭上は満天の星だったのだ。質問はさらに続き、学生のノートはいっぱいになっていく。

このトムと学生の話しあいには、ブレークスルーにつながる重要な側面がいくつかある。以下では、テーマを問いに落とし込もうとしている研究者のために、その側面について解説しよう。

1　自分を飾らないこと。 学生の言葉は（学生自身が当初気にしていたように）稚拙に聞こえた――が、むしろそれはいいことなのだ。この初期段階で生み出されるのは、最終的な問いではない。生きていると、あまりあけっぴろげにしてはいけないとたびたび思い知らされる。ものがわかっていて経験豊富だと見られたいし、幼稚だとか単純だと思われるような質問はついためらうようになる。しかしこの段階では、研究者の立てる問いは高度である必要はなく、首尾一貫している必要すらない。ただ、自分にわかるかぎり最大限正直でありさえすればいい。自分を信じよう。

2　批判せず、肯定的に受け止める。 この例では、学生も〈反響板〉も、合理性に関する学生の思い込みを否定するようなことは言っていない。このブレインストーミングの段階では、質問の流れが早々に閉ざされてしまいやすい。「その前提は間違っている、非西洋的な慣習が本質的に非合理的だということはない」といった抑圧的な思考や言葉でも閉ざされてしまうし、あるいは「私の合理性に関する概念は、明らかに『社会的構築物』である」といった高度な言辞で自分を責めることによってもブレーキがかかる。そういう誘惑に負けてはいけない。どんなにつまらない、子供っぽい、支離滅裂で、でたらめで、偏った問いに思えても、問いがどんどん出てくるほうがはるかによいのだ。ひとりで取り組むにしても、だれかと協力するにしても、この段階での目標はたんに問いを生み出すことだ。その問いをどう使うかについては、またあとで見ていくことにしよう。

3

アイディアを書き留める。この例では、学生と〈反響板〉は問いが湧いてくるごとにそれをすべて書き留めていた。アイディアはどんどん出てきたりするが、記録していないと同じようにどんどん忘れていってしまう。これからもたびたび強調することになるが、この研究の初期段階では考えるだけでは十分でない。それを文字に書くことで思考のあとを残しておくことが必要だ。そうすれば、あとあとべつの目的に利用できる。

4

問いは内側から生み出すこと。ここにあげた例では、問いを生み出していたのは学生自身で、〈反響板〉はほとんど口をはさむ必要がなかった。いま目指すべきは、きみ自身の知識や前提や好奇心によって問いを生み出していくことだ。このとき、「外側から」逆向きに考えようとしてはいけない。問いを生み出すさいに、架空の審判に気に入られるかどうかを気にしてはいけないのだ。

この例にあげた学生は、ほとんどの学生よりも有利な立場にあった。この面談に先立って、明らかにじっくり自己省察をすませていたからだ。このテーマが自分個人にとってなぜ重要なのかすでに気がついていたから、あとはためらいを乗り越えてその理由を口に出すだけでよかった。

たいていの人は、もっと困難な問題に直面することになる。ある特定のテーマに惹きつけられるのに、なぜ惹きつけられるのかわからなかったりするからだ。もっと正確に言えば、きみの一部はその理由を知っているのだが、残りの部分——「なぜそれに興味があるのか」というような質問に対処させられる部分——はまだまったく気づいていないのである。

これから段階を追って〈自分中心的研究〉の方法を見ていきながら、自分のなかのこれらふたつの部分の距離を縮める方法についても考えていく。つまり

- 直感的な部分。知っているが口はきけない。
- 主導権を握っている部分。口をきくが知らない。

このふたつの部分をひとつにする方法を学んでいくわけだ。

問いによって私たちは一定の方向に導かれる。導かれて一定の答えにたどり着くこともあれば、問いに答えるために必要な一次資料や、同様の問いに取り組んでいる学者仲間の研究成果（すなわち二次資料）にたどり着くこともあるが、さらにすぐれた問いに導かれていくことのほうが多い。問いによって人は否応なく、みずからを省みることになるからだ。

問いにはもうひとつ利点がある。人が世界について発する問いは、その人自身についての「自分証拠」のひとつである。そしてその証拠は、そもそもその問いを発するに至った自分自身の知的、感情的、そして個人的な動機についてじっくり考える助けになるのだ。ここでの目標は、たんにあるテーマに興味があると表明することではなく、**その興味について説明すること**だ。

次のような例を考えてみよう。

ソビエト史は興味をそそる。

これよりも、問いのほうがはるかに多くの自分証拠をもたらしてくれる。

資本主義を厳しく批判していたことから考えると、ソビエト連邦は独自の会計法を発展

させていたのだろうか。経済データを記録するためにソ連にも会計士はいたに違いないが、当時存在した会計理論はおおむね資本主義のコンテクストにおいて発達したものだった。とすれば、それはソビエトにとっては問題だったのではないだろうか。

これで、「なぜそれに興味があるのか」という素朴な問いに答えるための手がかりが集まってきた。問いを立てると、人は苦しい立場に追い込まれる。そこから生じる疑問に答えるために、自分自身の内部に探りを入れなくてはならない。そしてそのさいには、「興味深いテーマだから興味があるんだ！」というような曖昧で同語反復的な答えに逃げてはいけない。

やってみよう――自分自身を検索する

目標
一次資料の検索結果を用いて、そのテーマのうち自分にとって最も関心のある側面を把握し、その関心に基づいて問いを作成する。

インターネットの検索方法はとっくに知っているだろう。この演習の狙いは、インターネットの検索結果を用いて自分自身を検索するすべを身につけることだ。この演習では、テーマから問いを生み出すひとつの方法を学ぶ。実際にとりかかる前に、この演習の各ステップについて以下に簡単にまとめておく。

1　「はじめに」の演習「やってみよう」でやったとおり、興味がある研究テーマをなんでもいいのですべて書き出そう。どれだけ広範なテーマでも構わないし、複数でもまったく問題ない。

2 書き出したテーマのなかからひとつを選び、以下にあげるネット上のデータベース（whereresearchbegins.com にはその他のデータベースもあげてある）のうち少なくとも三つ以上使って検索を実行する。

3 検索結果のうち興味を引かれたものをいくつか——そう、五個から一〇個ほどクリックしてみる。

4 検索結果をじっくり読んではいけない。ここでの目標は、（a）精神エネルギーの二〇パーセントほどを使って検索結果（といくつかのコンテンツ）をざっと眺め、（b）残りの八〇パーセントで自分自身を観察することだ。検索結果を読みながら自分自身を読むわけだ。

5 とくに注意深く観察したいのは、それぞれの検索結果に対して自分の心と身体がどのように反応しているか、ということだ。どれが目に飛び込んでくるように思えるか。ほかの結果より、ほんの少しでも長く目が留まるのはどれか。ごくわずかでも心臓がどきっとする結果はどれか。

6 いいなと思う項目を少なくとも一〇個書き出す。なぜいいと思うのかは気にしなくてよい。

7 自分証拠を作成するため、その一〇個の項目について六一―六二ページの三つの質問に答える。

8 ひと晩おく（最低二四時間は間をあける）。

9 その後自分の書き出した答えを改めて読み返し、自問自答してみよう。この答えを書いた、あるいはこの検索結果に「興味深い」とチェックを付けた人物のことを知らなかったとしたら、私はこの研究者をどんな人物だと推測するだろうか。この「自分証拠」から、その研究者はどんな興味や関心を持っていると想像できるだろうか。

10 これらの質問に対して考えたことを、できるだけ多く紙に書き出す。

もう少し掘り下げてみよう。

ステップ1は説明の必要はないだろう。

ステップ2：データベースを選択しよう。ここにもよさそうなデータベースをいくつかあげておくが、whereresearchbegins.com にはほかにも数多くのデータベースがあげてあるので参考にしてほしい。※

- WorldCat: www.worldcat.org〔アメリカのOCLC（Online Computer Library Center）が提供する世界最大の書誌データベース〕

- HathiTrust: www.hathitrust.org〔世界各国の図書館の書籍その他を電子的にアーカイブした電子図書館〕
- Trove: trove.nla.gov.au〔オーストラリアの検索ポータルサイト〕
- Online Archive of California (OAC): www.oac.cdlib.org〔カリフォルニアの文書庫や図書館、博物館などの歴史資料の検索サイト〕
- Archives Portal Europe: www.archivesportaleurope.net〔ヨーロッパ史資料の世界最大の電子的アーカイブ〕
- Collaborative European Digital Archive Infrastructure (CENDARI): www.cendari.eu〔中世から第一次世界大戦までのヨーロッパ史に関するヨーロッパ各国の共同アーカイブ〕
- Consortium of European Research Libraries (CERL): www.cerl.org/resources/main〔ヨーロッパの研究図書館による資料の共同アーカイブ〕

自分のテーマにとってどのデータベースが「適切」かと気にする必要はない。この演習では、じつはどれを選ぼうがどうでもよいのだ（その理由はそのうちわかる）。また、問題の図書館が地理的にどこにあるかということも気にする必要はない。たとえば、アルメニアの政治に関する資料がニュージャージーの図書館のアーカイブにあるわけないとか、エトルリアの土器に関する資料なんかカンザス州の図書館にはないだろうとか思うかもしれないが、調べてみたら案外そうでもなかったりするものだ。

ちょっと使ってみて検索エンジンに慣れたら、基本的な問い合わせ（クエリ）を実行する。検索語（自分のテーマやそれに関連する語句）を入力してなにが引っかかってくるか見てみよう。検索結果が〇件だったら、もう少し一般的な語句とか、関連はするが異なる言葉に変えて試してみよう。いくら試してもうまくいかないなら、別のサイトに移動してやり直せばよい。どのデータベースを使うかは重要な問題ではないのだ。

ステップ3：検索結果が得られたら、それがどんな結果であってもやることは簡単だ。スクロールしてなにが引っかかってきたか眺めて、いくつかクリックして読んでみよう。これらのサイトではオリジナルの文献が表示されることはまずなく、たいて

※日本語で検索できるデータベースをいくつかあげる。
・国立国会図書館サーチ（全国の図書館や学術研究機関等の所有する資料を横断検索できる）
・CiNii Research（論文、図書・雑誌などの文献だけでなく、外部連携機関の研究データ、研究プロジェクト情報などを含めて横断検索できる）
・ジャパンサーチ（書籍・公文書・文化財・美術作品・放送番組・映画など、日本の保有するさまざまなコンテンツについて横断検索・活用できる）
そのほか、テーマごとのデータベースについては、国立国会図書館のｗｅｂサイト「リサーチ・ナビ」、および同サイト内の「人文リンク集」（https://rnavi.ndl.go.jp/jp/guides/humanitieslinks/index.html）も参考になる。
参考図書：小林昌樹『調べる技術　国会図書館秘伝のレファレンス・チップス』（二〇二二年、皓星社）

い登録されたタイトルが見られるだけだ。しかし全文が表示されたとしても、現時点ではあまり長いことひとつの文献にとらわれないようにしよう。いまはまだ精読のときではない。

　ではなにをするかと言うと（ここが肝心な点だ）、検索結果をスクロールしながら、自分が心電計につながれていると想像するのだ。体内を流れる電気信号が、それを読んだときにどう変化するか記録しているというわけだ。わずかでも心拍数があがった一次資料があれば、それを書き留めておこう。また、いかなる点でもなんの影響も受けなかった資料はどれだろうか。それもメモしておこう（少しあとで、きみにとってなにが退屈かということも調べるから）。

　もっかの目標は、先にも述べたように、読んでいるときの「自分を読む」ということだ。検索結果に目を通すさいには、リンクをクリックしたり文献を拾い読みしたりするのには脳のエネルギーの二〇パーセントを充てるだけにする。残りの八〇パーセント（にして重要な部分）は、**その文献を見ているときのきみ自身を観察する**ことに充てなくてはいけない。

　なぜそんなことを気にするのか。それで研究の方向性を発見することにいくらかでも近づけるというのだろうか。

ここでちょっと考えてみよう。人間の五感は日々あまりに多くの刺激にさらされているため、人はその視覚的・聴覚的・嗅覚的情報をほとんど無視している。常にそれらの刺激のすべてに注意を払おうとしたら、神経系はパンクしてしまい、簡単なことすら実行できなくなってしまうだろう。その結果人の身体は、なにを無視すべきか判断する高度なふるい分け装置に進化してきた。つまり人の心身は、見ない感じない嗅がない聞こえない味わわないという驚異のマシンに進化したというわけだ。

人が刺激をいかに巧みに「無視する」かを考えると、逆になにかに気づいたときは、それがどんなに些細な、つまらないことであっても、自分がなにかに気づいているということに気づいてしかるべきだ。この種の自分証拠は、心の奥底の興味や好奇心を知る手がかりになるかもしれない。

簡単に言えば、きみの心がなにかに（それがなんであれ）気づいたときは、そこにきっと問いがあると考えてよいということだ。たとえそれがどんな問いなのかわからないとしてもである。

このような手がかりに注目することを学び、さらにそれがどのような問いの存在を指し示しているか明らかにすることを学ぶなら、漠然としたテーマから出発して、発展性のある具体的な問いを生み出すまでの道のりを、素早くむだなく進んでいくことができるようになる。
「自分がなにに気づいているか気づく」のは、ときに驚くほどむずかしいものだ。自分自身の声によくよく耳を澄ましていなくてはならない。というのも、なにか気づくというのはたいていそれほどドラマチックなできごとではないからだ。天啓はつねに大音響で降ってくるとは限らない。かすかな息のように「ふうん」と声が漏れるだけかもしれない。「エウレカ！」の瞬間には無言のことすらある。ちょっとにやりとしたり、眉間にしわを寄せたり、画像や文章の一部にふだんよりほんの少し長く目を留めているだけだったり。ソニックブームの轟きを聞くのに手助けは必要ないが、ここでのきみの目的は、むしろごく微弱な重力波を検出することに近いのだ。

ステップ4：さて検索結果に戻ろう。ほんのちょっとでも琴線に触れたような気がする結果があったら、書き留めたり丸で囲んだりアステリスクをつけたりしよう。手書きでリストを作成してもいいし、文献のタイトルをテキストファイルにコピー＆ペーストしてもいいし、チェックボックスをクリックしてフォルダやEメールに保存するという手もある。どんな手段でもいいから、かならずメモを残すこと。

何度も言うが、自分のテーマにまったく関係ないように思えたとしても、目に飛び込んできたものはすべてメモしておこう。

たとえばオスマン帝国とかニュージャージー州とか中国（チャイナ）について検索すると、その帝国や州や国についての「関連する」資料に加えて、オスマン帝国時代の家具だのジャージー牛だの陶磁器（チャイナ）だのの資料も引っかかってくるだろう。こういうたまたま引っかかったと思える資料をむげに却下してはいけない。そういうのもざっと見よう。そのなかにちょっと目が留まったり気になったりするものがあったら、ほかの項目と同じようにメモを取っておこう。そうやって作ったリストが支離滅裂だったり一貫性がなかったりしても気にする必要はない。この段階での目的は自分自身の声に耳を傾けることであり、気にかかったものがあればすべて憶えておくことだ。取捨選択はあとでやればいい。

ステップ5：最低一〇個の項目を選んだら（ただやみくもになんでもコピー&ペーストしてはいけない。とはいえ、削りすぎるよりは採用しすぎるほうがよいのは間違いない）、三〇分ほどかけて、それぞれの項目ごとに自分に以下の三つの質問をし、その答えをちゃんと書き留めておこう。

- この項目からなにを思い浮かべるか。
- あえて推測するなら、私はなぜこれに目を留めたのだろうか。

- この検索結果を見たときどんな問いが心に浮かぶか。

一項目につき数語でじゅうぶんだ。これは注意しておきたいのだが、なぜその項目が気になったのか、この段階ではたぶん自分ではわからないだろう。この三つの質問に対する自分の答えが、自信なさそうだとか、くだらないとか感じられることもあるかもしれないが、それでいいのだ。ただ肝に銘じておこう——風水の例でもそうだったが、ばかに見られたくないとか、架空の外的な審判が感心するような言葉を使いたいという誘惑は大きい。それに屈してはいけない。きみの声を聞くのはきみひとりなのだから、めちゃくちゃでも理屈が通っていなくてもいいから自分に正直になろう。

なぜ、これが目に飛び込んできたんだろう？

ステップ6：項目のリストを片付け、まる一日見ないようにしておく。文字通りだ。この本もパソコンも閉じて、二四時間後にタイマーをセットしておこう。

ステップ7：二四時間たったら、気持ちも新たにリストを取り出そう。きみの知らないだれかが書いたリストだとちょっと想像してみよう。このリスト以外に手がかりがないとしたら、この研究者はどんなことに関心を持っているときみは思うだろうか。その研究者のテーマを知らなかったら、その人の最大の関心はどこにあると推測するだろうか。とはいえ実際にはテーマを知っているわけだから、その「気になったこと」のリストがそれと同じテーマを語っているか考えてみよう。ちょっとずれていたり、かなり大きく異なっていたりするかもしれない。そのリストから感じられる関心事は、そのテーマに内在しているだろうか。もしそうならどの側面に関わっているだろうか。あるいは、そのテーマは異なる問いの外皮、あるいは乗り物にすぎないのではないか。考えたことを紙に書き出そう。

よくある失敗

- 書き留めない。
- 個々の資料にすぐにこだわりすぎてしまう。
- データベースに入力したキーワードには関係なさそうな、「たまたま引っかかった」検索結果や、自分のテーマに無関係そうな検索結果を除外する。
- ほんとうは興味がなくても、「重要」に聞こえる検索結果に興味があるふりをする。
- 選り好みをして、なぜ興味があるのかわかっていると思う検索結果のみに目を向けてしまう。

- 一貫性と整合性のある「気になったこと」リストを作ろうとする。
- その検索結果が目に飛び込んできた理由を推測するさいに、架空の外的な基準に照らしてその理由が「重要」かどうかを気にしてしまう。

やってみよう——退屈を手がかりにする

積極的に嫌いと感じる自分の感情に注意し、このテーマに関心があれば「当然」（理屈の上では）興味があるはずなのに興味が持てない、そういう問いを特定する。自分のテーマに関係することでも、どんなことには興味がないのか理解することによって、ほんとうに興味があることを見極めるのが容易になる。

目標

先の課題では、面白そうと思えるすべての検索結果に注目してもらった。しかし、負の影響を与えた――つまり退屈そうだと思った検索結果はどうだろう。まず間違いなく、例の想像上の心電計はそれにも反応したにちがいないが、それは興味をそそられたからではなく、嫌悪感を抱いたからだ。したがってそれがリストに加えられることはなかっただろう。なにしろ、退屈に対する人間の最も一般的な反応は「回避」である。人は退屈なものを敬遠したり無視したりするものだ。

だがそれはいけない。**退屈は優秀な教師であり、注目に値する感情だ。**退屈は、無関心とか興味が持てないというのとは違う。受け身の感情ではないのだ。退屈は積極的な感情であり、いわば拒絶反応のようなもので、興奮と同じようにさらなる自分証拠を提供してくれるし、それを通じて自分の興味や動機がよりはっきり見えてくる。退屈という感情を記録することによって（興奮したときに記録したのとまったく同じように）、きみがほんとうに発したい問いや解決したい問題がなんなのか、そこを理解する手がかりを得ることができるのだ。

ここで友人との会話を想像してみよう。ちなみに友人はよかれと思って言っている。

友人：いまなんの研究をしてるの。

きみ：制度社会学だよ。

友人：へえ、面白そうだね！　このあいだ論文を読んだんだけどさ、いろんな会社の経営構造を比較して、どんな構造が職場の満足度と生産性に最適の条件を生み出してるかっていうんだ。

きみ（心のなかで）：うわー、すっげえ退屈。そんなの研究するやつの気が知れない。

友人はさらに次から次に例をあげる。きみが関心があると言ったテーマからして、理屈で考えればきみも興味を持つはずの話ばかりだ。友人は本のタイトルも次々にあげて、何冊かについては内容も簡単に説明してくれた。聞けば聞くほどきみは混乱してくる。いま友人があげてくれた例は、どれもこれもみんな退屈だ。なぜだろう。どう考えても私のテーマに関連しているんだから、面白そうだと思っていいはずなのに、なぜかちっとも興味が湧かない。私がおかしいんだろうか。

静かに恐怖が忍び入ってくる。

ひょっとしたらこのテーマは退屈なのだろうか。テーマを変えたほうがいいのだろうか。それとも、そもそも研究というのはそういうものなのだろうか。興奮の瞬間はあっという間に過ぎ去って、その後は面白くもないことを延々と調べる時間が続くだけなのか。だとしたら、研究者になんかならないほうがいいのかもしれない。

　ちょっと待った。自分自身（あるいは友人――じつはきみのためになっているかもしれないよ！）を責める前に、少し頭を冷やして考えてみよう。こう自問自答してみるのだ。きみの選んだテーマのどこが退屈に感じられるのか。きみが口にしたテーマから、自然にと言うか当然導き出される問いやサブテーマのうち、気が進まなかったり、それどころか気に食わなかったりするのはどれなのか。

　こんなことを尋ねられたのはこれが初めてかもしれない。なにを退屈だと思うかなどと訊く人はいない。なにが面白いか、わくわくするかと尋ねるのがふつうだから。なにに関心があるかという問いに答えることで、自分でも意識していなかった自分自身の一面が見えてくる、その理由はすぐにわかるだろう。しかし、なにか――きみが面白いと思うテーマに沿った内容であればとくに――を退屈だと思う理由を説明できるだろうか。

　ここでやるべきことは次のとおりだ。

1　また検索結果を眺めてみよう。

2 脳内の心電計によくよく注意しながら、今度は退屈だと思った結果に注目する。先に自分の興味関心について、自分自身に「嘘をつかない」のが重要だと述べたが、そのときとまったく同じ用心が必要だ。

3 「退屈な」結果をいくつか選び、前に答えたのと同じ質問に答えて紙に書き出してみよう。ただ前回とは異なり、今度は退屈な検索結果についてだ。

A　この項目からなにを思い浮かべるか。

B　あえて推測するなら、私はなぜこれに目を留めなかったのだろうか。

C　この検索結果を見たときどんな問いが心に浮かぶか。

4 次に、各検索結果についてこういう文章を書き出してみよう――「この［検索結果］より、［べつのなにか］のほうが面白いと思う」。

このステップ3と4で作成する二種類の自分証拠によって、口に出されず、しばしば意識もしていない内面の精神構造――きみはつねに、それによってこの世界を解釈しているのだ――についてのすぐれた手がかりを得ることができる。

退屈について考えるのは、研究者としての自己との対話の一環だ。不要な検索結果を排除するのに役立つだけでなく、無益な方向に調査を進めるのを防ぐことで、退屈はよりよい問いを発するのに役立ち、きみの〈問題〉に焦点を合わせるのに役立つのである。

よくある失敗

● 退屈を否定する。あるいはそれが「テーマに沿って」いて「重要」だから関心を持つべきだという理由で、興味を持っているふりをする。

● 循環論法に落ち込む。「退屈だと思うのはこれが退屈だからだ」というような説明に陥ってはいけない。退屈はただ「生じる」ものではない。インスピレーションと同じで、きみときみが関わっているものとの間に生じる動的な現象だ。退屈という感情は、きみをきみたらしめている物質と、きみが遭遇している現実という物質とが反応して生じる副産物なのである。

やってみよう――**やるなら思いきり小さく**

目標

突っ込んだ調査を始める前に、自分のテーマに関する事実重視の具体的な問いを生み出す。これらの問いは、のちにより大きな問いにつながっていくだろう。

きみはいま、テーマから問いを生み出していくうえで有利な立場に立っている。以下の二点についてのメモを手にしているからだ。

1 あるテーマの文献についてなにが目に留まったか、そしてそれが目に留まった理由についての最もそれらしい推測。

2 「理屈で考えて」、あるいは当然の結果として、きみのテーマに関わっているさまざまな側面のうち、きみが退屈だと思うこととその理由。

このメモのすべてを直感のたねとして用いて、以下の演習をやってみよう——例によって文字にするのを忘れずに。

意識の流れに沿って、きみのテーマに関連する問いを最低二〇個書き出す。ここで重要なのは、以下のヒントにしたがって**できるだけ具体的な問いを生み出す**ことだ。

- そのテーマに関してどんな事実を知りたいと思うか。
- きみの好奇心を満たすには、そのテーマについてどんなデータや情報が必要になると思うか。
- そのテーマについて、どんな有用な具体的事実が存在すると想像するか。

問いのなかには、「自分自身を検索する」の演習や「退屈を手がかりにする」で用いた文献に接したことによって生じたものもあるだろうし、まったく新顔のものもあるかもしれない。

いずれにしても、ことさら高尚を気取ったり大局的すぎたりする問いを立てるのはやめよう。本質的な「意味」や「意義」についての問いを発していると気がついたら、抽象的に考えすぎている可能性がある。

また**問い（question）とは疑問のこと**だから、それを忘れてはいけない。つまり最後にクエスチョンマークのつく文章であって、問いを装った意見表明とか文章の一部とかではないということだ。「正義の問題（the question of justice）」は問いではない。

ここでもやはり目標はプロジェクトの重要性を他人に認めさせることではない。まずは基本的な事実に関する問いを立てることから始めなくてはいけない。なにしろきみは新米なのだから、そのテーマについて知っていることより知らないことのほうがはるかに多いのだ。

たとえば、第二次世界大戦後にドイツのニュルンベルクで開かれた、軍事裁判の審理中に撮影された白黒写真を見ているとしよう。すると、「ニュルンベルク裁判は第二次世界大戦後のヨーロッパにどんな影響を与えたのか」とか、「この裁判にはどんな意義があったのか」というような大きな疑問が湧いてきても不思議はない。しかし、研究プロジェクトを立ち上げようとしているなら、以下のような具体的な問いを立てるほうが早道だ。

裁判に参加したのはどこの国か。

各国の代表としてだれが送り込まれたか。

その代表者はどのように選ばれたか。

裁判でかれらはどのような役割を果たしたか。

出席を拒否した人がいたか。

だれが裁判官を務めたか。

裁判官はどのように任命されたか。

任命したのはだれか。

戦後にこのような裁判が開かれたのはこれが初の例だったか。

そうでないとしたら以前の裁判はどこで行なわれたのか。

報道関係者の傍聴は許可されていたか。

この写真を撮ったのはだれか。

この写真は、いつ、だれによって、どのように配布されたか。

どの建物のどの部屋で裁判は行なわれたのか。

裁判は一定期間に（数日、数週間、数か月にわたって）ぶっ通しで行なわれたのか、それともいくつかの部分に分けて、断続的に開かれたのか。

いつまでに結審しなければならないという期限はあったのか。

裁判記録を作成したのはだれか。

その記録はどこに保管され、あるいはどのように配布されたのか。

費用を負担したのはだれか。

裁判官、弁護士、証人の交通費はだれが負担したのか。

その宿泊費を負担し、あるいは逸失賃金を補填したのはだれか。

裁判の行なわれているあいだ、被告人たちはどこに、またどれくらいの期間拘束されていたのか。


どれひとつとして高尚な問いでないことに注意。ささいで具体的な問いばかりだ。この時点では具体的な問いを生み出すことが目標で、それには理由がふたつある。第一に、きみの調べているテーマの核をなす基本的な事物は、このようなささいな問いを通じて初めて、頭の（およびメモ帳の）なかで具体的な像を結びはじめるからだ。この段階では、「意味」とか「重要性」といった「高尚な」問いに答えようとするのは早すぎる。まだ事実についてよく知らないし、ましてそれを分析する機会にも恵まれていないからだ。対照的に、裁判が開かれた物理的な空間や、裁判官や弁護士、証人、傍聴人、報道関係者、家族など、その場にいた人物に関する事実を知れば知るほど、自分のテーマについてよりよく理解できるようになる。それによって、**いずれ時が来れば「より大きな」問い、つまり「高尚な」問いに取り組む用意が整う**のだ。

　第二に、このような「卑近な」問いのなかに思いがけない問いが潜んでいることがあるからだ。そういう問いを声に出して自問してみたら、研究が思いもよらない方向に進んでいくこともある。たとえば「証人の宿泊費、食費、交通費はだれが負担したのか」というような単純な問いを発したとき、この国際的な裁判の歴史を異なる角度から調べてみたくなるかもしれない。法廷闘争そのものを調べるのでなく、たとえば都市の歴史という観点から考えて、「ニュルンベルクや東京や南京のような都市では、戦争犯罪裁判の物流面にどのように対処したのか」「戦争で破壊されてインフラが麻痺するなか、このような重要なイベントにさいして交通や宿泊や警備などの課題をどのように処理したのだろうか」というような問いを立てたくなるかもしれない。

　もうわかるだろうが、こういう派生的な問いからでも研究プロジェクトを生み出すことはできる。それも、「正義」のような大きなテーマに関して、新たに有用な知見を与えてくれそうなプロジェクトだ。

　このような明確で一見するとつまらない質問を発する（そしてそれに答える）ようになると、曖昧で非生産的な「テーマ」の罠から解放されて、具体的で一貫性のある問いが次々に浮かぶようになり、それが時間が経つうちに積み重なって、興味深く、発展性があって、しかも実行可能な研究課題に育っていくのだ。

事実に基づく明確な問いを立てることは、〈テーマの国〉から脱出するためのひとつの鍵になる。

よくある失敗

- 具体的で明確な事実に関する問いではなく、「意味」や「重要性」に関する、曖昧だったり、高尚だったり抽象的だったり、あるいは大風呂敷の問いを立ててしまう。
- 本物の問い（クエスチョンマークで終わる）ではなく、命題とか文章の一部、つまり問いを装ったテーマを書いてしまう。
- データが存在しないとか、または手に入らないだろうとかいう理由で、これは答えられそうにないなと思う問いを発するのをやめてしまう。
- 問いが少なすぎて、十分な量の自分証拠が集まらない。

反響板——研究ネットワークの構築に着手する

ここまで、きみは自分ひとりでかなりの成果をあげてきた。テーマや問いについて考えてきたし、三つの演習をこなしてテーマに基づく新しい問いを生み出してきたわけだ。

ここまでに生み出してきた問いを用いて、知人と話し合いを始めてもいいころだ。研究ネットワークの構築に取りかかろう。研究を進めるさいに相談したりアドバイスを求めたりできる人々のコミュニティを作るのだ。教師や同僚、学生、研究仲間など、定期的にきみと意見交換をすることができ、またそれを迷惑がらないと思われる人々のリストを作ろう。ほとんど自分ひとりで研究を進める研究者もいるが、頼れる〈反響板〉はよい触媒になってくれるものだ。

〈反響板〉候補にあげた人々のうち、数名の名前を丸で囲もう。この章を読みながら作成した問いをいくつか選んで、その人たちに相談を持ちかけてみよう。結論を出そうとしてはいけない。〈反響板〉に対して、どの問いが「一番」か決めてもらおうというわけではないのだ。研究課題を決めたいわけではないと説明しよう。いまはまだあれこれ探っている段階なのだ。目標は、きみの考えをその人たちに知ってもらうこと、そして研究のアイディアを言葉で伝える作業に取りかかることだ。きみはすでに考えを文字にする作業はある程度進めているのだから。

事前に質問を送っておくのもよいが、なるべくくだけた会話になるよう心がけることだ。「私の立てた問いはいい問いでしょうか」と尋ねるのではなく、「これらの問いからどんなことを連想しますか」とか「これらに関連して、ほかにどんな問いを思いつきますか」と尋ねよう。少し時間をかけて、あるテーマについていっしょに問いを考えてもらうのだ。

お礼を言うのを忘れずに。あとでまた助けてもらうことがあるかもしれないし。

きみは問いを生み出した

きみは順調にスタートを切った。一般的な興味から始めて、同じように一般的な「テーマ」、つまり調査の対象や範囲の特定にこぎつけた。「自分で自分を検索し」、面白いと思うものとつまらないと思うものを正直に認めて、それに基づいて予備的なメモの集まり（自分証拠）を作成した。ある話題は勝手に目に飛び込んできて、また別の話題は退屈でたまらないのはなぜなのか、その理由を書き出すことによって、自分自身の立場や興味関心がだんだんはっきりしてきたし、これまでの演習問題を用いて、具体的で焦点の明らかな問いを生み出すことができた。その問いがばらばらで、まとまりがなくてでたらめであるように見えても、気にする必要はない。むしろそれは、きみが正しい道をたどっているしるしだ（ただし問いが少なすぎる場合は、前の演習をもう一度やりなおしたほうがいい）。

なにより重要なのは、これらの研究テーマに関する問いを考えるさいには、少なくとも当面、その問いがかぎかっこつきの「重要」な問いかどうかは棚上げしていたということだ。ほかの人がどう思うかについては第2部で見ていく。きみの作成した問いのリストには、**きみにとって重要な問いがあがっているわけだ。たとえ、なぜそれが重要なのかまだわからないとしても**である。さらにおまけとして、演習としてやったデータベース検索のおかげで、とりあえずは一次資料と二次資料も見つかっている。

テーマから問いを作り出す作業がすでに始まっているのだ。

次の章では、その問いを分析してそれらがどのように関連しているか見極める方法を解説する。そしてその関連性がわかれば、小さな点々が散乱しているようなこれらの問い（そのすべてではなくともその多く）の裏に、きみを研究に駆り立てる深いなにか、すなわちきみの〈問題〉が潜んでいることに気がつくだろう。

とりあえず、いまは本を閉じて充電の時間をとろう。ではまた。

第2章 きみの問題は？

問いを立てたのだから、次のステップは当然それに答えることだ、と思うだろう。

だがじつはそうではない。

本章では、まず一次資料を探して使用する作業に入る。これで少なくとも問いの一部には答えが見つかるかもしれない。しかし問いに答えることは主たる目的ではない。ここでの主眼はきみの問いを鍛えることなのだ。

ここまでで作成してきた問いは、概してまだ発展途上であって、本来もっと完成されてしかるべきだ。と言ってもそれは、きみの研究者としての能力が足りないからではない。むしろ研究のこの段階ではそうでなくてはならないのだ。現時点では、きみの問いはまだ十分に発達していない。なぜなら、まだきみはその主題について研究してきていないからだ。つまり当然のことなのだ。

ちょっと待った！　きみはいまそう思ったかもしれない。だって、研究をするには問いを立てなくてはならないって言ったじゃないか。それなのに今度は、問いを立てるためには研究をしていなくてはいけないと言いだすなんて。それは不可能だ、無限ループだ。だまされた！

だましたわけではない。しかし、適切な問いにたどり着くには、研究の積み重ねが必要なのは事実である。そしてその後には、それらの問いに答え、新しい問いを生み出すためにさらに研究が必要になる。この初期段階では、多くの人が考えているのとは違って、目標は答えを生み出すことではない。いまある問いに磨きをかけて、新しい（そしてよりすぐれた）問いを生み出すことなのだ。

本章の目標は、**きみの多くの問いの根底にある問題を見極め、正確に言語化する**ことだ。これができれば、よりよい問いを立て、より意義のある研究を行なえるようになるし、それをいっそう巧みに行なえるようにもなるだろう。

問いに飛びついてはいけない（問題をとらえ損なうことになる）

問いを立て、分析し、磨きをかけ、また追加していくうちに、疑問が湧いてくるかもしれない。自分の〈問題〉を見つけたとき、どうしたらそれとわかるだろうか。私にはほんとうに「問題」なんてものがあるのか、たんにでたらめな問いを積み重ねているだけで、いつまでたってもまったくモノにならないのではないか。たしかに、人はさまざまなことに興味関心を持つが、そのすべてについて研究プロジェクトを立ち上げるわけではないし、またそんなことをしてもしかたがない。

問題とでたらめな好奇心の集まりとを見分けるなら、簡単な方法がある。それが日ごと週ごと月ごとに変化していくなら、一時的な好奇心に過ぎない可能性が高い。しかしそれがずっと変わらないなら、たぶん問題だと思っていいだろう。

問題とは、きみのなかにある厄介な存在だ。きみの邪魔をし、悩ませ、いらいらさせると同時に、惹きつけ、駆り立て、気になってしかたのないものだ。それはきみの心中に問いを生み出すものであり、どんなにバラバラで無関係に見えたとしても、きみ自身はなんらかの形で相互に関連しているとわかっている――その理由を説明できないとしても。問題はいつもきみについてまわる。きみがフランスの歴史学者であろうと、フィリピンの社会学者であろうと、あるいはインドの文学研究者であろうと関係なく、問題はきみに自分を解決せよと要求しつづける。きみの仕事は、その問題に名前を与えることであり、きみの個人的な能力と制約に基づいて、きみに研究できるその問題の事例を特定することであり、そしてその事例をどのように研究すれば、広範な解決策にたどり着けるか考えることだ。

問題の研究には、問いを立てることが必要なのは言うまでもないが、例によって言わずもがなのことを言うようだが、問いは問題ではない。

答えは出せるけれども、それが問題の解決につながらない、そういう問いはいくらでも考えつくだろう。そんな無益な問いを立てたりそれに答えたりするのは時間のむだだから、**その問いが本当に問題から発するものかどうか確かめよう。**問いに飛びつかないのが重要だというのはそのためだ。

研究者にとって問題は役に立つものだが、それにはたとえば次のような理由がある。

- 自分のテーマについて問いを立てる動機になる。
- どの問いを立てるべきかの判断基準になる。
- そのテーマのどこに、なぜ、いつ、どのように取り組むかを決める根拠になる。
- 探求の道筋を決める手がかりになる。
- 研究結果を発表する時が来たら、それをどのように語るか構成を決めるもとになる。

ここまでで作成してきた問いは、文献をちょっとあさった結果として生み出された「第一案」だった。しかしそれらの問いが、自分の個人的興味を満たすだけのものであってはいけない。そこで本章では、以下の方法をステップを踏んで説明していこう。

- すでに作成した**問いを改善する**方法。
- 問いを立てる動機となる**問題を特定するために文献を利用する**方法。
- その〈問題〉を用いて、**新たなよりよい問いを生み出す**方法。

「結論に飛びつく」べきでないのはみんな知っている。これは偏見や早とちりによって引き起こされる行動だ。人が結論に飛びつくのを見たことがない人はいないだろうし、だれでも一度はやらかしたことがあるだろう。じゅうぶんに時間をかけて考えてもいないのに、こうだと決めつけて議論をしたり仮説を立てたりする。そしてその結果、まちがってしまうというわけだ。

研究の初期段階では、問いに飛びつかないよう注意しなくてはならない。これまでにきみは多くの問いを立ててきたわけだが、いま危険なのは、先に進まなければと焦るあまり、せっかちに問いのひとつを選んでしまいたくなることだ。

きみの問いは？　ほかの人たちからそう訊かれるだろうし、しまいには頭のなかの小さな声からもそう訊かれるようになるだろう。その声は、プロジェクトにはただひとつの〈問い〉が必要だ、早く決めなくてはならないときみに思わせようとする。

この「**ひとつの問いに飛びつく罠**」は、「テーマを絞り込めの罠」と同じくらい有害だったりするものだ。

ある問いに飛びつくのは、地盤を調べずに家を建てるようなものだ。設計図はみごとで、敷地は広々としていて、息をのむような眺望に恵まれていたとしても、砂地のうえに家を建ててしまったら、砂が流れた時には大問題が生じることになる。その問題が表面化するころには、改修しようとすれば莫大な費用がかかり、かといって引っ越すこともできなくなっているかもしれない。

問いに対してストレステストを実施する

ここまでで多数の問い――事実に関する卑近な問いが望ましい――を作成する作業が終わったが、さらにストレステストを行ない、問いに磨きをかけ、選別し、答えの出ない問いを取り除き、残った問いをさらに改良し、研究により役立つ問いを追加していかなくてはならない。

自動車のようなものだと考えてみよう。車に飛び乗る前には、ましてや他の人も乗せようというときには、その車のハンドルやブレーキが厳しい試験に合格したという保証がなかったら不安だろう。試作段階で何度も衝突試験を受け、運転者と同乗者を保護するのに最適な構造だとメーカーが自信をもって売り出したのでなかったら、安心して乗ることはできない。

問いに対してストレステストを行ない、妥当性を高める方法はふたつある。第一の方法では表現に注目し、第二では内容重視で文献に注目する。この順番で取り組むことが望ましい。

やってみよう——問いに診断テストを実行する

目標

語彙や文法や表現に注意し、問いの文章が具体的かどうか、また特定の結果を期待する偏ったものでないかどうか確認する。

以下の点にとくに注意して問いを書き直そう。

1 文末に注目 きみの問いは実際に疑問文の形になっているだろうか。それとももっと一般的と言うか曖昧に、たとえば「これは……の検討である」とか

「……を調査するつもりだ」とか「私のプロジェクトでは……という問いを取りあげる」などのような言いまわしを使っていないだろうか。もしも「なにかがどのように起こったか調べたい」といった表現を使っているなら、きみが作成したのは問いではなく、ほんとうは問いのふりをしたテーマだったという可能性が高い。もっと具体的に考え、疑問形の問いを書こう。

2

形容詞と副詞　「現代的な」「伝統的な」「西欧的な」といった、抽象的で曖昧で不正確、つまりはどうとでもとれるような形容詞や、「科学的に」「合理的に」「効果的に」といった副詞が、問いの主軸になっていないだろうか。そういう形容詞や副詞はすべてカットしてみよう。

3

集合名詞　きみの問いには、「アジア人」「フランス人」「学生」「女性」「北米人」などの集合名詞が使われていないだろうか。もし使われているなら、もっと精密な人口統計学的カテゴリーでその名詞を置き換えられるよう最大限の努力をしよう。ただの女性でなくどの年齢層の女性なのか、学生ならいつどこに住んでいる学生なのか、同じ北米人でも、どんな出自なのか、社会経済的地位はどうなのか、人種や民族や家族構成などでそれぞれちがうはずだ。ありとあらゆる人口統計学的変数を考慮せよとは言わないが、プロジェクトに影響を与えそうな変数はすべて含めたほうがいい。

4

動詞　きみの問いには、「影響する」「形作る」「左右する」といったたぐいの動詞が使われていないだろうか。あるいはそういう動詞の受動態とか。もし使われているなら、きみの問いでは、特定の答えや結果が最初から除外されている可能性が高い。文章を書き換えて、確証バイアスをもたらしそうな前提は削除しよう。

この段階では、きみの問いが以下の基準を満たすことが必須になる。

- **わかりやすく正確で、専門用語が使われていないこと。**きみの問いがむずかしすぎて同僚にもメンターにも理解してもらえないなら、それはきみ（同僚やメンターではなく）がまだきみの〈問題〉の何たるかを真に理解していないしるしだ。簡潔にまとめすぎて、重要な具体的事項が見えなくなっているのかもしれない。同様にきみの〈問題〉が専門用語――「賢そう」で「重要そう」に見えるように使われている言葉――の陰に隠れているなら、わかりやすくて無防備な言葉に置き換えよう。きみであれ、想定される読者であれ、きみの研究がなにを目指しているのかわからなくてはいけない。たとえそのために、問いの文言が歯切れが悪くて垢抜けなくて、またいささか回りくどくなってしまったとしてもだ。

- **検証可能・反証可能なデータに基づいていること。** きみの問いは誠実なものでなくてはいけない。つまり事実に基づいて作成されたものであって、憶測や偏見や主観に基づくものであってはならないということだ。どんな事実が動機となってこれらの問いを立てるに至ったのか。その事実は検証可能か。その事実はどこでどのように確認することができるか。きみは自分でそれをチェックしたか。

- **結果に対して無私であること。** 最もすぐれているのは、オープンで、公平で、偏見にとらわれていない問いだ。言いかたを変えれば、特定の答えを前提にしていないということだ。きみの問いがこの基準を満たしていないなら、書き直してその前提を消してしまおう。

- **対象が明確であること。** 「学生」「女性」「ヨーロッパ人」「ブラジル人」「キリスト教徒」など、アイデンティティに関して大雑把なカテゴリーを使ってはいけない。先に述べた留意点を参照し、きみの問いに出てくる人々が何者なのか、できるだけ具体的に説明すること。

- **きれいにまとめようとしないこと。** 少なくともいまのところは。きみのリストにあがった個々の問いは、それぞれできるだけ正確かつ詳細であることが望ましいし、きちんと根拠を確認しておくべきだが、しかし忘れてならないのは、この時点では全体としてそれほど洗練されていなくてもいいし、一貫性がなくても構わないということだ。どれもこれも行き当たりばったりに見えるなら、**行き当たりばったりのままにしておけばいい。** それぞれ無関係で脈絡がないと思うなら、**脈絡がないままにしておこう。**

よくある失敗

- あらかじめ決まった答えを導くような、誘導尋問的な問いを立ててしまう。こういう問いは根拠のない前提に立っていて、結果として確証バイアスをもたらす。誘導的な問いを立てても、もともとこうだと思っていた答えを見つけるだけだ(以下の「XはYにどんな影響を与えたか」の例を参照)。
- 特定のイデオロギー(当然正しいと思う世界観)や行動方針を唱道するような、主張的な問いを立ててしまう。このような問いは、最初から特定の立場をとっていて、他者にもそれを採用するよう勧めるもので、それに関係する事実が実際にはどうかとか、証拠から見てどのような解釈が妥当と思われるかとか、そういうことを考慮していない。例：「ジョーン・ディディオン〔アメリカの小説家・エッセイスト。一九三四―二〇二一〕の小説を解釈するうえで、なぜ「ロマンス」でなく「フェミニズム」の面から分析するほうが適切なのか」

・すべての問いが「意味をなす」ようにする、つまり無理やり「つじつまを合わせて」しまう。その作業の段階はすぐに来るから、いまは心配しなくていい。

誘導的な問いはつい立ててしまいがちで、しかも研究にとって非常に有害だから、ここでひとつくわしく例をあげよう。こういう質問をどこかで見たことがあるのではないだろうか。

XはYにどのような影響を与えたか。

以下の例について考えてみよう。

一七八〇年代にフランス国王ルイ一六世が実施した破滅的な課税政策は、どのように貴族に対する民衆の信頼を損ない、フランス革命への道を開いたか。

これはまた「高度な」問いだなあ！　そもそもこんな問いを立てるためには、フランス史についてかなりの知識が必要なはずだ。

しかし、もう一度読みなおしてみよう。なにか問題はないかな。「XがYにどんな影響を与えたか」という問いでは、XがたしかにYに影響したという答えが暗黙のうちに了解されていて、あとは「どのように」と「どの程度」という問いしか残されていない。こんなふうに問いを立ててしまうと大きな弱点が生じる。この時点では、そもそもそんな影響があったかどうかまだ立証されていない。それなのに問いの文章じたいが、XがYにまったく影響しなかったという可能性を除外しているのだ。じつは影響がなかったとわかったら、ものすごく短い論文しか書けなくなってしまう。

それでもやはり、XはYに影響したという直感が揺らがなかったとしよう。確かに影響したのかもしれない。しかしまだ調べていないのだから、この時点では断言はできないだろう。ここで避けなくてはならないのは、実際にその「影響」が存在していなければ成立しないような、そんな問いの立てかたをしてしまうことだ。ほぼ必然的に、一次資料中にその影響のもっともらしい「証拠」を見つけることになり、読者だけでなく自分自身も欺くことになるだろう。

問いに欠点が見つかったら、修正しよう。実際には問いを装ったテーマになっていたら、単語や文の構造を変えてみよう。抽象的な名詞や形容詞や副詞が問いの主軸になっているなら、具体的な単語に置き換えよう。大げさな言葉はいっさい使わずに問いを立てよう。最初から研究の方向性を決めてしまうような動詞を使っていたら変更しよう。

やってみよう――一次資料を使って問いを鍛える

目標

いま立てている問いを強化、すなわち「鍛える」ために、キーワード検索を実行する方法を身につける。このような検索によって見つかる一次資料には、それまで気づかなかった新たなキーワードが含まれているものだ（それによってフォローアップ検索を実行することができ、また別の、そしてさらに有用な一次資料が見つかるだろう）。

先の演習のように、表現に関する診断テストを行なうことは、問いを立てるときにやりがちな失敗を避けるための第一ステップだ。今回の演習では、具体的な主題と一次資料に立ち戻り、それを深く掘り下げることが必要になる。

これまでのところ、一次資料はいわば棚上げの格好になっていた。第1章の演習「自分自身を検索する」では、あまり深く読み込まないようにわざわざ注意していたぐらいだ。しかし、いよいよ突っ込んで読み込むときが来た。ただし、たぶんきみが思っていたのとは目的が違う。一次資料を用いて、いままで立ててきた問いに答えるのではなく、問いを発展させ、磨きをかけ、膨らませるのだ。いずれは、問いの答えを探すために一次資料を用いることになるが、この初期段階では、多大な時間と精力を費やして答えを探す前に、問いにもっと磨きをかけることが必要だと思う。

どんなふうに一次資料を用いれば、問いを強化し、「鍛える」ことができるのだろうか。答えは簡単だ。一次資料じたいが別の一次資料の存在を教えてくれるから、それらに触れることによって、主題についてより熟した問いを立てることができるようになる。対照的に、「問いに飛びつき」、その問いに答えるために一次資料に突っ込んでいく研究者は、いわば知的・経験的なタコツボにはまり込む危険を冒している。

次のようなテーマに関心があると想像してみよう。

- 二〇世紀初頭のアフリカ系アメリカ人の文学
- 人工知能の歴史
- 二〇世紀香港の食文化

さらに、最初のテーマから具体的な問いを作成するというむずかしい作業をすでに終えて、これから資料の収集と調査に取りかかろうとしていると想像しよう。まずは過去の新聞のデジタルアーカイブ※を検索することから始める。ここには、世界中の何百という定期刊行物も保存されていて、完全なテキスト検索が可能になっている。

しかしここできみはつまずく。「食文化 AND 香港」で検索すると、引っかかってくるのはほとんど一九五〇年代以降の文献ばかりだ。また「アフリカ系アメリカ人 AND 文学」では、一九八〇年代以降の論文や報道は多数ヒットするが、それ以前のものはゼロに等しい。同じく「人工知能」では一九八〇年代以降の文献はいくらでも出てくるが、それ以前のものはほとんどない。

どういうことだろうか。常識で考えて、アフリカ系アメリカ人の作家は一九〇〇年ごろにはもういたし、香港の食文化は一九五〇年代以前からあったはずだし、AIの研究は一九八〇年代より早く始まっていた。なのにどうして、検索しても出てこないのだろう。

※ 日本の新聞のデジタルアーカイブのうち、代表的なものは以下。「朝日新聞クロスサーチ」「ヨミダス歴史館」「毎索」「産経新聞データベース」「日経テレコン」。ただしいずれも有料契約が必要なため、契約をしている近くの図書館や大学などを利用しよう。

簡単なことだ。検索に使っているキーワードが時代錯誤だからだ。つまりその言葉は、きみが一次資料を探そうとしている人々や場所やテーマを表わすために、いまここ（想像上のきみがいる場所）で使われている言葉なのだ。しかし過去には、そして別の場所では、かならずしもその言葉が使われているとは限らない。「人工知能」は、コンピュータサイエンスの一分野を表現するために、いま使われている言葉だ。しかし、この分野を発展させてきた学者たちは、かならずしもこの言葉を使っていなかった。「システム思考」や「マシン・インテリジェンス」、その他数多くの呼びかたがされていた。地名としての「香港（Hong Kong）」は大昔から使われているが、しかし英語のスペルとしてはかなり大きく変化している（数十年前には、ハイフン付きの「Hong-Kong」、あるいは一語にした「Hongkong」のほうが、ずっと目にすることが多かったはずだ）。同様に、「アフリカ系アメリカ人」という言葉が広まったのはやっと一九八〇年代になってからで、それ以前は「アフロアメリカン」「ニグロ」「有色人種」などと呼ばれていて、その多くは今日ではとうてい使えない言葉になっている。

要するに、一次資料探しのこの初期段階では、主たる目的はじつは問いの答えを探すことではないのだ。すでに見つけた一次資料を用いて、存在することすら知らなかった新しいキーワードを発見し、そのキーワードを検索にフィードバックして、**より**

多くのよりよい一次資料を見つけ、より多くのよりよいキーワードを見つけ、そしてなにより重要なのは、**より多くのよりよい問いを見つける**ことなのだ。

気が遠くなるような話に聞こえるかもしれない。なんと言っても、検索用語が「不完全」であるいまでも、何千、へたをすれば何万もの文献がヒットしたりするのである。ほんとうに、これ以上の資料を読んだり、参考文献にあげたり、引用したりしなくてはならないというのだろうか。

そんなわけはないし、心配する必要はない。文献管理についてはあとで見ていく。もっかの目標は、キーワードの不備を発見し、見つかるはずの文献が見つからないという事態が起きないようにすることだ。盲点をなくすことによって、テーマの全体像がより把握しやすくなる。

キーワード検索のさいには、つねにこう自問しよう。ほかに使うべき検索語はないだろうか。すでに使っている検索語にはほかのスペルはないだろうか。検索の結果ヒットした資料が、入手可能な一次資料全体を代表し反映しているか、できるだけ確認する必要がある。範囲の狭い、あるいは稚拙な検索の産物であってはならないのだ。検索結果がすべて狭い期間内に集中していたり(先の例のように)、非常に限られた場所で生み出されたものだったり、ごく少数の人々によって書かれたものであるような場合、検索方法に問題がある可能性が高い。つまりこういうことだ——香港は一九五〇年代以前から存在していたし、アフリカ系アメリカ人の作家は一九八〇年代以前から存在していたのだから、検索結果が奇妙な偏りを見せるのは、「現実の状況」とはまずもっていっさい関係がなく、**すべて検索方法に原因があるのだ。**そこで立ち止まって検索方法を改めることをせず、せっかちに先に進んで、見つかった文献を読み、参考文献とし、また引用するならば、研究プロジェクトは全体に恐ろしく不完全になってしまうだろう。

というわけで、一次資料を使ってキーワード検索を改善するためのテクニックを以下に紹介しよう。

キーワード検索の技術と科学——ちょっとしたコツ

キーワード検索を改善する、というと簡単に聞こえるかもしれないが、じつは根性の悪いパラドックスが邪魔をしている。「現在使われているキーワード」(たとえば「人工知能」「アフリカ系アメリカ人」「香港(Hong Kong)」など)で検索して見つかった一次資料には、**きみが見つけようとしているほかのキーワード**(「Hong-Kong」

「Hongkong」「アフロアメリカン」など）**は、たいてい含まれていない**のだ。ほとんどの場合、検索結果はオール・オア・ナッシングだ。つまりそのキーワードが一次資料に使われていて検索でヒットするか、キーワードが使われていなくてヒットしないか、どちらかということである。ここではこの袋小路を回避する方法を説明しよう。

カテゴリー検索を活用する

データベースによっては、ありがたいことにメタデータ（データに関するデータ）つきの資料に出くわすことがある。これは、きみのような研究者が資料を見つけやすいようにと、図書館司書や文書管理者が作成してくれたものだ。こういうデータベースの場合、「人工知能」という用語を含む一次資料を検索で見つけたとすると、その資料はその同じキーワードを使ってタグづけされていたりする。このタグをクリックすると、同じカテゴリーに分類されたデータベース内の一次資料すべてにアクセスすることができる。「人工知能」という言葉がまったく使われていないものも含めてだ！　これは、あるキーワードでヒットした資料から、そのキーワードをまったく含まない別の資料を探し当てるひとつの方法だ。

やりかたはこうだ。カテゴリー検索を実行して結果が出たら、それを年代順に並べ替え、一九八〇年代——予備的な検索では一次資料がそこで消えるように見えた時点——より以前に出た資料のみを調べる。タイトルを眺めながら、タイトルにどんな言葉が出てくるか注意しよう。その資料をオンラインで読むことができるなら、目次、序文、前書き、索引をざっと眺めて、どんな単語や用語、語彙が使用されているか調べよう。その語句を使ってデータベース検索をしたら、最初の検索では見つからなかった資料が出てきそうな語句はないだろうか。もしあれば、それがきみの次のキーワードだ。書き留めておこう。

注意——メタデータもまた文脈の影響を受けるのだから、絶対的なものととらえてはならない。カテゴリーは、図書館司書や文書管理者が作成したものも含めて、文化的な産物だ。つまりかれらの作成したメタデータのカテゴリーは、立場や世界観や慣習によって形作られているので、どんな主題についても「最終判断」と受け止めてはいけないのだ。つねにほかにもあるはずと心得て、だれもきみの仕事を肩代わりしてはくれないことを肝に銘じよう。

自己言及的な資料を見つける

場合によっては、運よく歴史辞典のような資料が見つかることもある。つまり、その一次資料が扱っているまさにそのテーマに関して、それにまつわる用語の変遷をそのものずばりに扱っていて、ある思想や場所や共同体や慣習などが、時代や地域によってさまざまに名づけられ、また改名されてきた過程がまとめて解説されている資料だ。こういう資料が見つかるとそれはうれしいものだ。おかげで無数の扉が開いて、あとはそこを歩いて通ればいいだけなのだから。

しかしそのような場合でも、一次資料にはやはりそれなりの限界があることを忘れてはいけない。きみの検索に役に立つ用語のバリエーションを、すべて記録してある資料などあるはずがない。また、(以下で説明するように)その主題についてどんな資料が見つかろうと、これで決まりと思ってはいけない。その一次資料が経験的に正しいかどうか判断するのはやはりきみ自身なのだ。どんな資料にも、それぞれに立場や世界観や視点がある。しかし、キーワードを探すという当面の目的には役に立つかもしれないから、そのデータあるいは結論が正確かどうかはともかく、いまのところはこれらの問題については判断を保留してかまわない。とりあえずいまは、この資料のおかげで、それがなければ見つけられないような別の一次資料にたどり着けるかどうかたしかめることだ。

キーワードと検索の記録を残す

キーワードを次々に見つけて試していると（たとえ小規模なプロジェクトでもキーワードの数は数百にものぼったりする）、なにをどう調べたか忘れてしまって、すぐに収拾がつかなくなるものだ。というわけで、この作業にはもうひとつ欠かせない側面がある。それはすなわち、記録管理というぱっとしない世界だ（やれやれ）。

このキーワードでもう検索はしたっけ。思い出せない。このデータベースでこのキーワード検索はやったっけ。どうだったかな。このデータベースでこのキーワードの検索を最後に実行したのはいつだっけ。さあねえ。

重大な取りこぼしをしてしまう危険はつねにある。データベースは絶えず更新され拡張されているし、プロジェクトは完了までに何か月（あるいは何年）もかかることがあるからだ。また、すでにやった検索をまたやってしまって、何時間もむだにする破目になるのは容易に想像がつく。

幸い、この問題は簡単に解決できる。表を使って検索の記録を残すのだ。やることは以下の三つだけである。

1 各行の左端に、使おうと思っているキーワードを入力する。

表2　**キーワード検索の記録**

	データベース1	データベース2	…	…	必要に応じて列を追加
キーワード1	□	☑ 9/30/20			
キーワード2	☑ 9/27/20	□			
…					
…					
…					
…					
必要に応じて行を追加					

2　列のヘッダーに、調べる予定の電子データベースや図書館のカタログをすべて入力する。

3　検索を実行したら、該当するセルに記録を残す。検索した日付を入力し、場合によってはヒット件数を簡単にメモしておいてもいい。

これだけで大幅に時間を節約することができ、よりよい研究結果を出すことができる。どの検索を実行したか、まだ実行していないか、いつでもひと目でわかるからだ。

このほかのキーワード検索のヒントや、記録用紙、表2のダウンロード版もあがっているので、whereresearchbegins.comをのぞいてみてほしい。

一次資料を使って問いをさらに「鍛えて」いくと、それに伴って必然的に、ほかにふたつ有益なことが起こるだろう。まず、問いの一部については答えがわかってくる。そしてまた一部については、実際には答える価値のない問いだったとわかってくるのだ。言い換えれば、最初の問いの一部は捨ててよいと判断できるわけだ。これはまさに願ったりかなったりである。

奇跡のように感じられるだろう。問いをストレステストにかけると、主題についての知識が深まっていく。そして知識が深まるにつれて、主題に対する直感も鋭くなっていく。「問いを鍛える」ことで、きみは自分の直感力を鍛えているのだ。熟練の整備士に「トランスミッションの音がおかしい」と言われたとき、人がそれに耳を貸すのは、異常を感知するかれらの能力が研ぎ澄まされているからだ。ふつうの人なら、自分の車から大きな音がしても「どうしたんだろう」という漠然とした疑問が生じるだけだろう。問いを鍛えることで「真の」問いに狙いを定めることができ、無知から生じた問いはきれいさっぱり捨て去ることができるのだ。

やってみよう――思い込みを可視化する

目標　研究プロジェクトに持ち込んでいる自分の思い込みに気がつき、それを利用して問いを立てる動機となった問題を特定する。

ふたつのテクニックを用いて問いの分析をしてきたが、ここでもうひとつやらなければならないことがある。きみの問いの根底にある思い込みを特定し、可視化したうえでそれと折り合いをつけることだ。

人はだれしも白紙の状態ではない。きみはごちゃごちゃの思い込みの山を抱えて、いまのテーマと問いにたどり着いたのだ。それは当然のことであり、むしろよいことだ。なんと言っても、それがあったからこそきみはそのテーマを面白いと**思っ**たのだし、その問いがきみにとって適切な問いだと**思ってい**るのだから。研究プロジェクトには、だれもがそれぞれ荷物を持ち込んでいるものなのである。

手荷物受取所へようこそ。

教師のなかには、この世に関する学生の「幻想」をすべて「打ち砕く」ことを使命と心得る者もいる。

ヴァイキングは野蛮な略奪者の群れだったと思っているのか。見よ、その目にかかった無知のヴェールを引き裂いてくれよう！

なに、日本社会は均質だと思っているのか。見るがよい、その偏見を粉々にしてくれよう！

誤解を取り除くことは、教育や研究の場面では有用な場合も多い。しかし、どんなによかれと思ってやったことであっても、それが足かせになってしまうこともある。仲間が「誤りを指摘される」のを見ると、他の研究者や学生たちは恥をかきたくなくて口をつぐんでしまうかもしれない。「誤りを正される」例を目の当たりにすることで、思い込みは敵であると考えるようになりかねない。思い込みは隠しておくべき恥ずかしいもの、克服すべき障害、あるいは無能の証拠、などと考えるようになったら非生産的だ。

〈自分中心的研究〉では前提として、思い込みに対して以下のように非常に異なるアプローチをとる。

1 思い込みは白日のもとにさらし、それによって対処可能にしなくてはならない。

2 しかし思い込みを嫌悪したり、その声に耳を塞いだり、地下に追い払ったりしてはいけない。なぜなら案に相違して、それによって思い込みへの執着が強くなってしまうからだ。

3 思い込みは燃料として消費しなくてはいけない。思い込みを利用すれば一度にふたつの目標を達成できる。新しい方向に進むことができ、その過程で思い込みを使い尽くすことができる（つまり、いずれ新しい燃料が必要になるということだ）。

世界に対する思い込みは、それがどんなに幼稚な、あるいはネガティブなものであっても、研究のこの段階ではきみの役に立つ。まったく思い込みを持たずに研究の旅に出るのは、風のない日に帆船を海に出そうとするようなものだ。思い込みは帆に吹く風であり、航路に乗って船を進ませるためにはそれを上手に利用することだ。

思い込みを評価する（すぐにそうすることになる）前に、まずは感謝しよう。その思い込みのおかげで気づきがあったのだ。そもそも検索結果が目に飛び込んできたのはその思い込みがあったからだ。一次資料の特定の部分に目が留まったのは、思い込みの助けがあったからだ。**この世界の実像と思い込みとのあいだに隔たりがあったからこそ、具体的な問いが立ち上がってきたのである。**思い込みは、この現実についてのきみの予想のもとになる。その予想が外れたときこそ、注意を払うべきときなのだ。

それでは、きみの思い込みを白日のもとに引き出し、対処可能にする作業に取りかかろう。やるべきことは以下のとおり。

1 問いの最新版を見直し、次のように自問する。問いのひとつひとつについて、そもそもこの問いを発するためには、あらかじめなにが真実でなくてはならないか。

2 そこで気づいたささいな疑問や事柄をリストアップし、そもそもそれに気づく理由になったと思われる思い込みを書き出す。

3 個々の問いに関して自分の中にある思い込みを書き出し、以下の三つのカテゴリーに分類する。

A いまのところは、そのまま持っていてよいと思われる思い込み

B すぐにでも捨てたい思い込み

C　どちらとも決めかねる思い込み

4 それぞれの思い込みを、なぜそのカテゴリーに分類したのか、その理由を二行で書く。

5 ここで、リスト中の問いのうち、そのもととなる前提や思い込みがカテゴリーAに分類されたものを見直す。いま考え直してみても、そのまま維持して大丈夫だと思う前提に立っているわけだから、これらの問いはそのままにしておいてよい。

6 前提がカテゴリーBに分類された問いはどうだろうか。捨てればよいと思うかもしれないが、**捨てるのはまだ早い**。もとになっている前提があいまいだとか、偏見だとか、根拠がないとわかったのなら、そうでなくなるように書き換えてみよう。もっと根拠があって、発展性のある問いに言い換えることはできないだろうか。捨てる前に改良を試みよう。

7 カテゴリーCの前提に基づく問いは、その中間に位置していることになる。とりあえずリストには残しておくものの、忘れないように印をつけておいて、研究が深まってから改めて検討することにしよう。

表3　**無意識の前提を白日のもとに引き出す**

問い：		
前提 （1文で説明）	カテゴリー （A / B / C）	なぜこの前提をこのカテゴリーに分類したのか（2文で説明）
修正後の問い：		

それぞれの問いについて、表3のような表を作成して整理しておこう。そのもとになった前提を明らかにし、またそれを分析して、必要なら問いを修正するためにも使える。

例をあげよう。第二次世界大戦中の一九四四年に、ふたりの友人がやり取りした手紙のなかに短い文章があり、それがきみの目に飛び込んできて、気になって書き留めておいたとしよう。特定の表現あるいは一文が目に飛び込んできたのかもしれないし、友人のいっぽうが戦争について飛ばしたジョークが心に引っかかったのかもしれない。

この演習の目標は、その表現または一文がなぜ、きみの目に飛び込んできたのか自由に推測し、その一文がきみの前提または思い込みとどう矛盾しているのかいないのか、じっくり考えてみることだ。どんどん想像してみよう。すぐに「自分自身を知り尽くす」ことができるとはだれも思っていない。それには時間がかかるものだ。第二次世界大戦中に生きていた人々は、この戦争についてジョークを言うなど夢にも思わないときみは思っているのかもしれない。なにしろ一九四四年には、この戦争のせいで何百万という人命が奪われ、さらに多くの人々の生活が破壊されていたのだから。あるいは第二次大戦にかぎらず、戦時中にはユーモアそのものに対して人はアレルギーを起こし、深刻な現状にふさわしい暗い気分でいるものだと、きみは決めつけているのかもしれない。それとも、ホロコースト、アルメニア人虐殺、奴隷貿易などの歴史的な事件や経験については、そのあまりのおぞましさに軽口など叩けないはずと思い込んでいるとか。

自分がなぜそんなふうに思うのか、考えられる理由をすべて書き出そう。たとえ確信は持てなくても、善悪の判断はせずに書き出すことだ。ここで重要なのは、きみの思い込みをよくないものとして「さらけ出す」ことではない。目には見えないけれども、きみの考えかたに影響を及ぼしている思考の一部を表面に浮かび上がらせることが目標なのだ。

よくある失敗

- 問いの動機となっている思い込みや前提を明らかにせず、うやむやにしてしまう（恥ずかしいとか自意識過剰とか、理由はいろいろあるだろう）。思い込みを自分で自分に認めるのは、自分の考えかたを改善するためだということを忘れてはいけない。だれもきみを批判する者はいないのだ。
- カテゴリーBの前提に基づく問いを、修正したり書き換えたりしようとしない。
- カテゴリーCの前提を一種の自分証拠として検討せず、無視したり廃棄したりしてしまう。世界の実際の姿と自分の思い込みとの隔たりから、有用な問いが生まれる可能性があるのを忘れてはいけない。

やってみよう——問いと問いを結びつける問題を特定する

目標

複数の問いの根底にある問題を明らかにする。

さて、次の重要なステップに進む用意は整った。第1章では、あるテーマの中にひそむ問いを見つけるために「自分自身を検索」した。ここでふたたび自分自身を検索することになるが、今度は手がかりとなる自分証拠がさらに増えている。きみはいくつかの演習をこなし、プロジェクトに関連する事実について大量の問いを生み出してきた。次に知りたいのは、その問いと問いを結びつける問題はなにかということだ。

柔軟に、しかし厳密に考える努力をしよう。これまでに生み出し、収集してきたさまざまな問いや事実の断片のあいだにどんな関係が見いだせるだろうか。どんな動機があって、これらの特定の事実をきみは検索しているのか。このテーマについてはどんな問いでも立てられたはずだが、なぜ**これら**の問いなのか。どの問いが最もきみにとって魅力的か（そしてどれがあまり重要でないように思えるか）。これがわかれば、きみは重要なブレークスルーを果たすことになる。問いのすべて（あるいはほとんど）を結びつけて首尾一貫した全体とする、隠れたパターンが見つかったことになるからだ。言い換えれば、きみは自分の〈問題〉を発見したことになるわけだ。

次の手順でやってみよう。

1 すべての問いを目の前に並べる。

2 いまはどの問いにも答える必要はない。これらの問いに共通する関心事はなにか、それを自問しよう。

3 他人になったつもりで考える。きみ以外のだれかがこれらの問いを見ているとしたら、これらの小さな問いを結びつける、より深い問いはなんだと思うだろうか。

4 思いついた問いを書き出す。

5 必要ならば、具体性あるいは一般性の度合いに応じて、中レベルの問い、高レベルの問いというように優先順位をつける。これらの問いは、これまでに生み出してきた事実に関する具体的な問いよりも、一般性の度合いが高まっているはずだ。

高レベルの問いがすべて互いにつじつまが合うとはかぎらないが、無理なこじつけはやめておこう。時間をかけて、柔軟に考えてみよう。複数の問いが入りそうな親カテゴリーはないだろうか。問いと問いをつなぐ結合組織はすぐにはわからないかもしれない。直感的に腑に落ちるものではない可能性もある。

よくある失敗

- 複数の問いに答えることに気をとられ、それらの根底にある共通の関心事を見つけることに集中しようとしない。
- 具体的なテーマあるいは事例にこだわってしまい、より根本的な関心事を無視する。

反響板——一次資料の手がかりを得る

自分の〈問題〉について調べるとき、あるいは自分が取り組んでいる問題が自分にとって適切かどうか検証しているときは、自分の前提や思い込みについて〈反響板〉に相談するのは早すぎるかもしれない。先にも触れたように、専門家や権威者は「悪い」前提や思い込みを「矯正」しようとする傾向が強いので、その話をするのは当面やめておいたほうがいいだろう。

この段階で〈反響板〉の手を借りるなら、きみの問いを鍛えるのに利用できる一次資料探しを手伝ってもらおう。先に、本章の演習に用いるためにデータベースの例をいくつか紹介した。その演習のことをきみの〈反響板〉に説明して、これ以外にデータベースとかアーカイブのカタログ、あるいは使えそうな一次資料の保管所(リポジトリ)がないか助言を求めよう。

ついに問題発生（よい意味で）

きみはいま、数多くの具体的な問いをじっくり調べ、共通の関心事によって親カテゴリーごとにグループ分けするところまで来た。それらの関心事から生じる、より高レベルの問いも作成できた。他のすべてを圧倒する最重要の関心事が、一瞬にして直感的にわかってしまったかもしれない。あるいはまだどれが自分にとって最も重要なのか決めかねているかもしれない。まだ十分な自分証拠が集まっていないと感じるなら、もちろん本章の演習をもう一度やり直してもいい。しかし、自分証拠はもう十分にそろったと思っていても、まだ不安が残っているかもしれない——自分の〈問題〉が本当に見つかったとして、そのときはそれとちゃんとわかるだろうか。

問題は簡単に消えたりしない。むしろいつまでもしつこく残りつづけるものだ。あっさり厄介払いしたり無視したりできるものではない。フリーダ・カーロがシュールレアリスティックな自画像を何枚も描いたのは、問題に突き動かされていたからだ。音楽の世界で言えば、ジョン・コルトレーンが『至上の愛』を作り、ビリー・ホリデイが「奇妙な果実」を歌ったのも、やはり問題に突き動かされていたからだ。ボブ・ディランが「青の時代」に突入したのも問題のせいだ。研究者もまったく同じである。

問題はよいものだ。問題があるのはよいことだし、そのことで気を揉むのも、くよくよ考えるのもよいことだ。私たちが抱えて歩く問題は、生産的な摩擦と考えることができる。この現実にぶつかったり擦れあったりして生きていく、そのさいに生じる摩擦なのだ。

とはいえ、最終的な決定を下すことができるのはきみだけだ。これまでに作ってきた興味深い問いの集まりがひとつの問題にまとまるか、それともひじょうに高度で面白いとはいえ、たんなる興味関心の雑多な集まりに過ぎないのか、それがわかるのはきみだけなのだ。

複数の問題にたどり着くかもしれないが、今のところは一度にひとつずつ取り組むことにしよう。他の問題をどうするかについては最終章で説明する。

第3章

成功するプロジェクトを設計する

問題にたどり着いたら、次は手持ちの資源を考え、なにを達成できるか判断しなくてはならない。具体的には、問いに答えて〈問題〉を解決するためにどんな一次資料が必要か考えるとともに、プロジェクトを組み立てるのにどんな資源（時間も含めて！）が必要かということも考えなくてはならない。

本章で扱うのは、概念的であると同時に実践的でもある話だ――一次資料とはなにか。実際に入手できる一次資料はどれか。自分のテーマに関連する資料の可能性を最大限に引き出すにはどうすればよいのか、あるいはある資料をもとにして、だれでも考えつくような問いにとどまらず、独創的な問いにたどり着くにはどうすればよいのか。それらの資料を用いて〈問題〉をピンポイントで特定するにはどうすればよいのか。手持ちの資料を用いてどんな議論を展開することができるか。どれくらいの数の資料を入手できるか。それを分析するのにどれくらいの時間をかけられるか。自分の仕事のしかたとか、物質的な制約とか、締め切りなどを考慮して、どのようにプロジェクトを設計するべきか。

ある問題からプロジェクトを生み出すさいに関わってくるのは、たんにロジスティクスだけではない。プロジェクトの立案には、自分自身を評価し客観視することが必要だ。どんな型あるいは種類のプロジェクトが自分に最もふさわしいか。どんなできあがりなら満足できるのか。

一次資料とその使いかた（あるいはシリアルの箱を読む五〇の方法）

独自の研究に資料は必要不可欠だから、資料をどのようにして見つけ、評価し、用いるかというのは、決しておろそかにできない実践的な問題だ。資料は通常大きく二種類に分けられる。すなわち一次資料と二次資料だ。たいていの参考書では、一次資料は「原資料」または「生の資料」と定義されている。研究者はそれを証拠として用いて、現実に関する主張や仮説、理論を展開・検証する。なにを一次資料とするかは、研究分野によって違ってくる。歴史の分野なら、手紙や地図などの文書であれ、その他の物理的な遺物であれ、いずれにせよ対象とする時代のものである場合が多い。人類学なら口頭での証言とか録音に頼ることになるかもしれない。また文学や哲学などの分野であれば、一次資料はたいていテキストになる。

どの参考書を見ても、二次資料は同じように定義されている。たとえば『リサーチの技法』

（原題 *The Craft of Research,* 4th edition）では、二次資料を定義して「一次資料に基づく書籍、論文、記事などで、学者あるいは専門家を読者として想定しているもの」とし、研究者が「その専門分野の動向を知り」、「他の研究者の結論あるいは手法に反論したり、あるいはそれを発展させたりする」ことによって「新しい問題を作り出す」ために利用するものと述べている。

こういう定義が間違っていると言いたいわけではないが、ベテラン研究者ならよく知っている危険性、つまり**「一次資料」と「二次資料」の定義を絶対視することの危険性**についてここで強調しておきたい。私たちが声を大にして言いたいのは、一次資料は文書庫やオンラインのリポジトリで見つかる遺物や文書だけではないし、また二次資料は一次資料を「用いて」得られる研究結果、つまり原材料を加工してできた完成品ばかりではない（このたとえをあくまで用いるなら）ということだ。「一次資料」という言葉を聞いて、古びた写本やセピア色の写真、古代の陶器の破片、何百年も前の新聞の切り抜きなどを思い出すとしたら、そういう考えかたはそろそろ改めたほうがよい。

資料の定義を絶対視することは、一次資料を特定し、また研究上の問いを立てるさいの妨げになる。その理由は次のふたつだ。

1　どんな資料でも、プロジェクトによっては一次資料とも二次資料ともなりうるし、またまったく資料として使えない場合もある。

2 資料の種類は、答えようとしている問いや、解決しようとしている問題との関連性によってのみ決まるものだ。一次か二次かという種別が最初から決まっているわけではない。

一次資料をより正確に定義するなら、特定の問いに関して一次的であるような資料、ということになる。

この定義では、資料の「一次性」が相対的に定義しなおされていることに注目してほしい。たとえば、二〇一九年に発行されたアメリカ史の大学用教科書について考えてみよう。資料の絶対的な定義によれば、これが「一次資料」でないことはまずまちがいない。なぜならさまざまな学者の研究に基づいて書かれているからだ。第一回大陸会議について知りたいとか、南北戦争の根本原因について知りたい人が、その出来事と同時期に作成された一次資料としてこの教科書を参照することはないだろう。資料（一次資料も二次資料も含めた）に基づく歴史学の議論をまとめた二次資料と見なすはずだ。

しかしきみの立てた問いが、第一回大陸会議について直接関わるものではなく、また南北戦争の原因に関するものでもなくて、教科書の歴史とか、二〇世紀から二一世紀にかけてアメリカの高等教育で南北戦争がどのように教えられてきたかとか、そういうことに関係している場合はどうだろう。この二〇一九年の教科書はどんな種類の資料になるだろうか。どう考えても「絶対的に二次資料」と見なされるはずの本が、つい最近発行されたにもかかわらず、いきなり「一次資料」になってしまうわけだ。このような状況なら、二〇一九年に出たこの教科書は、他の関連する一次資料——一九〇五年、一九二三年、一九四五年の大学の教科書などとともに、きみの参考文献にその名があがることになるだろう。きみは教科書の著者個人の論文に当たったり、二〇一九年のこの教科書を手がけた学者や編集者にインタビューすることになるかもしれない。あるいは、ある大学の講義の概要（シラバス）をまとめたリポジトリを発掘して、たとえば第一次世界大戦の直後とか、第二次大戦の直前、あるいは公民権運動の最盛期に、大学で南北戦争がどのように教えられていたか検証したりするかもしれない。

もう一歩進めて考えてみよう。同じ資料が文脈によって「一次資料」にも「二次資料」にもなりうるように、同じ資料が驚くほど異なる形で「一次資料」になることがある。つまり、まったく同じ資料が信じられないほど異なる研究で取り上げられ、参考文献として名前があがったり、べつの著者に利用されて、驚くほど異なる種類の問いがそこから提起される場合があるのだ。

たとえば、データベース検索のさいに、一九六〇年代のシリアルの箱に出くわしたとしよう。この画像に興味を惹かれる理由はよくわからない。しかし、すでによくわかっているだろう

が、「理由がわからない」のを気にする必要はまったくない。どういうわけか、この資料はきみの研究の「一次資料」になるという気がするので、自分の直感を信じて、この資料がどんな問いに答えるのに役立つか考えてみることにする。

　ここでひとつ判断しなくてはならないことがある。この資料の扱いかたによって、研究上の問いという点で、非常に可能性の幅の狭い道に進むか、それとも潜在的にきわめて多様な可能性のある大通りに進むかが決まるのだ。

　幅の狭い道というのは、だれでも思いつく問いに飛びつくということだ。たとえば食文化についての問いとか、広告とか消費文化に関する問いなどもそうだ。そこできみはこう考える——だってシリアルの箱だもんな。だったら当然、ここから考えられるのは、食物とかそういうのに関係する問いになるはずじゃないか。

つまりきみは、なんと言うかその、頭を箱に突っ込んで外が見えなくなっているわけだ。忘れてならないのは、「一次資料」としてのシリアルの箱は、食物そのものとはなんの関係もない**無数の問いとの関連で一次資料になりうる**ということだ。ここでちょっと、研究者がシリアルの箱を「読む」方法についていろいろ考えてみよう。つまり、どんな研究プロジェクトだったら、この一九六〇年代のシリアルの箱という資料が参考文献とか資料一覧に出てきそうか、ブレインストーミングしてみようというわけである。

さらに一歩進んで、このシリアルの箱が一次資料として出てくる研究プロジェクトがあるとして、この箱のほかにどんな一次資料がリストに顔を出すことになりそうか、それについてもブレインストーミングしてみよう。

それで思いついたことに基づき、ここで立てることになる問いのジャンル——根底にある問題にそれが関連しているという前提で——に名前をつけてみよう。

表4はやたらに列数は多いものの、ある一次資料に基づいて、さまざまな方向性の研究が可能であることを示す一サンプルに過ぎない。ここで重要なのは、ある資料が「一次資料」であることはまちがいないとしても、どのような意味で一次資料なのかはまだわからないということだ。

表4　シリアルの箱問題——一次資料からどんな問いを立てるか

	箱の側面にある「栄養成分表示と推奨事項」について	箱に記載されているコード（例：印刷コード、出荷コード、新しい時代の箱ならバーコード）	資料について気づいたこと
	これらの成分表示と推奨事項は、だれがどのようにして作成しているのか。	そのコードを使用するのはだれか。なぜ箱のその場所にそのコードが印刷されているのか。どのように読み取りまた解読するのか。いつからシリアルの箱にそのコードが印刷されるようになったのか。	思いつく問いまたは関心事
	１日の推奨摂取量に関する初期の医学・公衆衛生学的論文、カロリーという概念の発見・発明に関する資料	レーザー読み取りと、その物流（消費者、輸送、郵便制度など）への応用に関連する資料	次にどんな一次資料が必要になりそうか
	・生政治学 ・エネルギーと栄養の標準的な測定法 ・政府と産業界の関係	・テクノロジー ・サプライチェーン・ロジスティクス ・歴史	関連しそうな主題や問いのジャンル

パッケージに使われている書体	箱の形状、大きさ、寸法	箱の裏によくある「お話」	
他より大きな書体があるのはなぜか。フォントはどのようにして選ばれたのか。どのような可能性が検討され、却下されたのか。	組み立て後、または組み立て前の状態で、箱がこの重さと大きさになるのはなぜか。箱は配送の各段階でどこに、どれくらいの期間保管されているか。箱は製造場所から目的地までどのようにして輸送されるか。一度に輸送される箱の数は？	この製品の生産者や消費者は、この世界について、消費者について、企業について、このお話になにを語らせたがっているのか。シリアルの箱の裏に書かれているお話は、時代とともに大きく変化しているのか。シリアルの種類（たとえば砂糖入りシリアルと「ヘルシーな」シリアル）による違いはあるか。	
低コストの大量生産紙を用いた印刷物のサンプル。電話帳、タブロイド新聞、心理戦用のパンフレットなど。	コンテナ輸送の初期の歴史に関連する資料	「お話」が印刷されるその他の商品（子供のおもちゃ、運動器具、健康・美容製品など）のパッケージ	
・タイポグラフィ ・デザインの歴史 ・デザインのヒエラルキー	・輸送 ・ロジスティクス ・グローバル資本主義	・物語、ナラティブ、ディスクール ・時代、未来と過去	

資料について気づいたこと	「賞味期限」	上蓋の下に隠れている4色の色見本	パッケージに用いられている色やマーク	
思いつく問いまたは関心事	賞味期限はだれがどのように計算しているのか。他国で流通しているこのシリアルの箱にも表示されているのか。	この部分が、店頭では見えない位置に印刷されているのはなぜか。なぜ箱にこれが印刷されているのか。どのように使われているのか。消費者に「見えない」ことになっているデザインは他にあるか。	どのような条件を考慮して色彩は選ばれているか。箱に描かれたマークはなにを表わしているか。	
次にどんな一次資料が必要になりそうか	食品の賞味期限の算出と消費者への通知に関するFDAの規則	パッケージに隠れたデザインのある他の消費財または食品	1960年代ごろの広告代理店の内部資料(色彩が消費者の行動にどんな影響を与えるかについて)。同じ会社が製造した他の製品	
関連しそうな主題や問いのジャンル	・食品の安全性 ・政府による規制(国内/世界)	・機械主導型デザイン ・不可視論	・色彩心理学	

箱の開閉に用いるタブ	箱および内袋の密封に使われる接着剤	箱を作るために使用される紙または厚紙	
この箱はどのように使われるのか。どのようなデザインが検討され、却下されたか。	接着剤は何の物質から作られているか。製造者はだれか。どうしてこの接着剤が選ばれたのか。多くの消費者はどのように開封しているか。消費される前に劣化する製品はどれぐらいあると製造者は予想しているか。	その紙または厚紙を作るために使用されている木の種類はなにか。どこで製造されたのか。この製品のパッケージのために、年間何本の木が使用されているか。それは(いまも)業界標準か。	
何度も開封·再封が必要な他の食品	消費者の習慣に関する企業の研究開発記録 包装業者との契約書	木材および木材パルプ製品を使用して製造される他の商品	
・耐久性 ・実用性	・化学	・環境史 ・林学	

資料について気づいたこと	値段	このシリアルの箱が保存されているアーカイブ・ボックスまたは容器
思いつく問いまたは関心事	このシリアルはいくらだったか。その値段はどこでどのように宣伝されたか。1960年代のアメリカの消費者にとって、このシリアルは安かったのか、平均的な値段だったのか、それとも高かったのか。この商品が入手しやすかったかどうか。生産コストや流通コストに対して価格は適正だったか。製造者、卸売業者、小売業者それぞれの利益配分はどうなっていたか。	この箱はどういう経緯で、またなぜ保存されることになったのか。だれが保存したのか。どのように、またどこで？　偶然に保存されたのか、それとも特定の目的があって意図的に保存されたのか。
次にどんな一次資料が必要になりそうか	食料品店および食品生産者の歴史に関するアーカイブで、基本的消費財の価格変動をグラフ化するのに使えるもの。	Society of American Archivists（米国アーキビスト協会）の年次総会のプログラム
関連しそうな主題や問いのジャンル	・経済史 ・人口統計学 ・価格戦略	・アーカイビング ・文化的・歴史的価値の判断 ・博物館学

一次資料のこの扱いかたをマスターすれば、より独創的な研究ができるようになる。一次資料を額面通りにしか受け取れないとか、だれでも思いつくような問いしか出てこないとか、そんな罠に陥ることはなくなるだろう。いつでも「シリアルの箱の外」に出て考えられるようになるのだ。

やってみよう——一次資料をシリアルの箱と同じように扱う

目標

一次資料のひとつひとつについて、複数のジャンルの問いを立てる習慣をつける。それによって、自明ではなく、したがって見過ごされやすい問題を見つけられるようになる。この手法を身につければ、自分がどの問題に最も関心があるかわかるし、独創的な研究をする能力を高めることができる。

今度はきみが、私たちの言う「シリアルの箱問題」に挑戦する番だ。

第1、2章で学んだ検索手法を活用して、資料をひとつに絞って入手する。その資料はきみにとって紛れもなく魅力をもつもののはずだ。つまり研究者としてのきみの興味関心に関して、まちがいなく「一次資料」だと直感できる資料だということだ。

表5を参考にして資料を観察し、できるだけ多くの特徴に着目する。シリアルの箱の例で見たように、さまざまな要素を抽出しよう。最低でも一〇個、なるべく多くの要素を特定すること。面倒がってはいけない。商品識別マークやバーコードにあたるものがなかったとしても、なんらかの形で大きなシステムや標準化体系に関連づけられているかもしれない。アレルギーの警告や摂取推奨量の表はなくとも、より大きな政治的・経済的・社会文化的あるいはその他きみが関心を持つ議論に、その資料が「引っかかっている」可能性は大いにある。シリアルの箱の例を抽象化し、それに基づいて推測しなくてはいけない。シリアルの箱という資料の具体的な特徴が、きみの資料にほとんど備わってないというのはあって当然のことだから。

第1列を埋めるときには、資料のその特徴に注目することでどんな問いが出てくるか想像してみよう。想像を大きく膨らませよう。脳みそを絞ろう。そこそこで満足してはいけない。きみの「問いの候補」がどれもこれも、つまりその……シリアル関係

表5　一次資料をシリアルの箱と同じように扱う

資料について気づいたこと	思いつく問いまたは関心事	次にどんな一次資料が必要になりそうか	自分の問題に関係がありそうなより広い主題や問いのジャンル

だとしたら、それはまだ必死で考えていない証拠だ。心をリラックスさせて本気で取り組めば、よく言うように朝食のシリアルからレーザーまで、一足飛びにたどり着けるような問いがすぐに湧いて出るだろう。そうしたらその問いを第2列に書き込もう。

次に、その特徴と問いの組み合わせのそれぞれについて「次に必要な資料」はなにになりそうかを考え、それを第3列に書き入れる。何度も言うが、そこそこで満足してはいけない。自分で自分を驚かせよう。これはあんまりだと思ったとしても、実はそうでもないものだ。

最後に、いよいよ磨きのかかってきた内省能力を発揮して、次のように自問しよう。

- 特徴と問いと次の資料の各組み合わせのうち、最も心に火がつくのはどれだろうか。
- 最もわくわくするのはどれか。あえて問うならその理由は？
- 最もつまらないと思うのはどれか。あえて問うならその理由は？
- 私の主要な関心事はなんなのか、そこから推測できることがあるだろうか。
- 私の問いや関心事に関して、この資料はどういう意味で「一次資料」なのか。

自問自答した内容はすべて書き留めること。

よくある失敗

- 数多くのジャンルの問いを立てようとせず、資料の表面的なテーマに関連する、だれでも思いつくような明らかな問いばかり立ててしまう。
- 具体的で事実に基づいた問いではなく、抽象的で曖昧な問いを立てる。

- 問いのジャンルが少なすぎる。少なくともジャンルは一〇種類を目指そう。平凡におさまるより、突拍子もないぐらいのほうがよい。
- 「次に見つけたい一次資料」に関して、自分の〈分野〉内の資料のみを考えてしまう（例えば、一九六〇年代のシリアルの箱なら食物の歴史など。〈分野〉についてくわしくは第5章を参照）。
- 表の「気づいたこと」「問い」「次の資料」「問いのジャンル」の欄を埋めたあと、（a）その結果に対する自分の相対的な興味関心度を測る、（b）その結果を書き留める、というふたつのステップを飛ばしてしまう。

やってみよう——一次資料を思い描く

目標 そこで一次資料を探そうとは、最初のうちは思いもしなかった場所を特定すること。これによって研究の包括性や独創性、重要性が高まる。

独創的な研究に必要なのは、だれも探そうとしていない場所で〈問題〉の解を探すことだ。

オンラインで検索できる資料の絶対量があまりに膨大なので、経験豊富な研究者であっても知らず知らずのうちに、言わば受動的傍観者になってしまいがちだ。つまり、図書館のカタログとかデータベースのなかでのみ参考文献を探してしまい、それ以外の可能性を探るのを忘れてしまうのである。なんと言っても、きみはすでに「問いを鍛え」、先に述べたテクニックを用いて考えうる検索語のすべてを発見してきたのだから、できるだけ多くのデータベースをそのキーワードで検索し、数多くの一次資料を収穫する以外にやることがあるだろうか。

そろそろ検索を始めていいころではないだろうか。

最近の研究者はここでふたつの大きな間違いを犯しやすい。こんなふうに考えてしまうのだ。

1　きちんと研究をするのに必要な情報は、すべてオンラインで入手できる。

2　オンラインで入手できる情報は、すべて検索可能である。

実際には、ありとあらゆる一次資料のうち、デジタル化されているのはごく一部だ。トムの勤めるスタンフォード大学の図書館は、デジタル化に関しては世界でもとくに進んでいる機関だ。にもかかわらず、スタンフォード大学の所蔵する何百万という文書や写本資料のうち、デジタル化されているのは約一パーセントにすぎない。残りはアナログのまま、つまり物理的な形のままなのだ。一部はこれからもずっとそのままだろう。オンラインやキーワード検索にばかり頼っていると、役に立つかもしれない資料の九九パーセント以上が手付かずのままということになる。**目にすることも、おそらくはその存在を知ることすらないまま。**

研究者の犯す第二の過ちは、さらに深刻と言ってよいかもしれない。データベースや検索結果によって参考文献の種類や内容が決まるのをよしとしてしまうと、研究者としてのきわめて重要な仕事を放棄することになる。研究対象に対して重要な問いを立てるのをやめ、創造性や想像力を働かせて自分のテーマとの関わりを深めるのをやめてしまうのだ。

キーワード検索によって資料の境界を決めるのでなく、パソコンやブラウザを閉じて、必要な資料がどこにありそうか心の目で描き出してみよう。そういう資料は、形式やジャンルの点でどんな特徴がありそうか、それを生み出すのはだれ、あるいはどんな組織だろうか。つまり、「いまあるもの（データベースの検索結果）」だけでなく、「あるかもしれないもの」あるいはさらに進んで「あってしかるべきもの」にまで検索の範囲を広げるのだ。

これは多くの意味で奇妙な演習であり、研究者はふつう、こういうことはしてはいけないと言われるものだ。つまり、ありもしない資料を「でっち上げる」のは許されていないのである（それにはもっともな理由がある）。ただ、ここでやろうとしているのはそれとは少し違う。

この想像力を働かせる訓練は、並みの研究者と真に傑出した研究者とを分ける要因のひとつになると思う。

たとえば、二〇世紀前半のニューヨークにおける労働者階級の女性の人生について調べているとしよう。すぐにキーワード検索に取りかかるのでなく、椅子にゆったり腰かけ、天井を見あげ（あるいは目を閉じ）、自分で自分に問いかけてみよう。そういう女性の一生はどこに記録されているだろうか。彼女たちの生きた痕跡はどんなところに残っているだろうか。一九二〇年代のニューヨークの病院は、患者の記録を残していただろうか。当時の学校は生徒についてどんな記録を残していたのか。雇用主はどうか、また出入国管理の書類はどうだろう。婚姻証明書や、洗礼の記録、人口調査、刑事事件の調書、電話帳はどうか。一七二〇年代のロシアの農奴や、一八二〇年代のオーストリア・ハンガリー帝国の支配層、あるいは現代のセネガルの学校教師についても、同じように考えていくことができそうだ。

ひとことで言えば、どんな記録（アーカイブ）があるかということだ。

このような問いに答えるためには、特殊な形の「鍛えかた」（第2章参照）が必要になる。調べている時代と場所（一九二五年のニューヨーク、一八二五年のトリエステ〔このころはオーストリア領だった〕、二〇二二年のダカール〔セネガルの首都〕）について十分に知っていれば、その社会がどのように機能していて、どのように証拠となる痕跡を生み出しているか、多少なりと知ることができるはずだ。ロシア帝国の刑法史やアメリカの大学経営、西アフリカの税関などにはまったく関心がない——自分の主たる研究「テーマ」あるいは「問題」ではない——かもしれないが、そういうことを少しでも知っていれば、きみの関心対象である人々について、かれらが人生の痕跡をどこに残しているか思い描く助けになるだろう。

具体的な情報を得るためには、制度や体制の面から考えなければならない場合もある。

考えてみよう。人はみな日々を過ごしていく中で、週ごと日ごと、それどころか毎時間毎分の単位で、さまざまな生の断片をあとに残していく。クレジットカードの支払い記録。通勤通学の途上では、ＩＤにリンクされたカードで公共交通機関の支払いをする。卒業アルバムの写真、季節のカード、公共交通機関のチケット、有権者登録もある。何百万何千万という私たちの断片が、多くの領域にディアスポラのように拡散していくのだ。もちろんすべて復元できるわけではない。電子的な保管庫に厳重にロックされている（と思いたい）情報もあるし、すぐに廃棄される情報もある。たとえ見つかっても、本人とリンクできないものもある。

しかし、復元できる情報もある。

ここで、遠い未来——たとえば二五〇〇年ごろ——のだれかが、きみの人生を復元・理解するために一次資料を探していると想像してみよう。その人が二一世紀の信用調査機関や法制度、有権者登録、電子メール、ソーシャルメディアについてなにも知らなかったら（あるいは知っていても、自分のテーマではないと考えて無視したとしたら）、その研究者は大量の資料を手に入れ損なうことになるだろう。

なぜわざわざ時間をとって資料を想像する必要があるのか、もうわかってもらえたと思う。キーワード検索は出発点とは限らないし、必要なものがすべてそれで得られるわけでもない。資料がどこにありそうか想像してから、初めて検索作業に戻るべきだ。そうすれば、より多くの、より多様な場所を探すことができるようになっているはずだ。カタログやデータベース、アーカイブのリストは、より大きくより多様になっているだろう。そしてより多くの一次資料を見つけ、より多くの有用な問いを生み出し、予想もしなかった形で研究を深められることだろう。

この演習のステップは簡単だ。

1 例によって、問いをできるだけ正確に書き出す。

2 ブレインストーミングをする。私の問いに関して「一次」資料になるような、そういう資料にはどんなものがあるだろうか。

3 資料の種類をできるだけたくさん書き出す。

4 これはオプションだが、時間に余裕があって、ステップ1から3までの妨げにならない場合は、そういう資料を実際に探してみよう。もし見つかったら、それに対して〈シリアルの箱問題〉をやってみよう。

よくある失敗

- ブレインストーミングのさいに、自分の具体的な事例のみに気をとられてしまい、その事例に関連する資料が、現実世界ではどんな一般的カテゴリーや制度的体系に整理されているか考えようとしない。
- テーマやキーワードと関係がないと思われる資料を除外する。
- 思い描いた資料が実際に入手できるかどうか心配する。
- メモをとるのを怠る。

点と点を結ぶ――資料から議論へ

そんなこんなで一次資料が用意できた。さてどうしよう。なにをすればいいのか。この資料からどうやって「論文用の議論」を進めていけばいいのだろうか。どこから手をつけようか。どこに着目すればいいのだろう。

どれももっともな疑問だし、疑問は他にもあるだろう。

ここで直面する方法論的な課題は、実践的であると同時に道義的な問題でもある。

1　この研究を行なうには、どれだけの量の、またどのような種類の一次資料があれば十分なのか。

2　資料の信頼性や有用性をどのように評価すればよいか。

3　どのようにして無関係な資料を見きわめ、除外するか。

4　資料と資料の関連性をどのようにして判断するか。

5　多種多様な資料を用いてどのように議論を展開すればよいか、またそれらの資料を用いて展開している議論に関して、その確実度または不確実度をどのように表現すればよいか。

なんの絵かな？

こんなふうに疑問が次から次に湧いて出るから、ここで点と点をどのようにつなげるかしばらく考えてみよう。

子供向けのパズルは、たいてい箱に入って売られていたり、本に載っていたりするものだ。他の人が作って、ゲームとしてパッケージされて私たちのもとに届くのだ。たとえばワードサーチ〔碁盤目に配列された文字のなかに隠れた単語を探す遊び〕、ジグソーパズル、綴り換え遊びなど、すでに答えを知っている人が、子供の知能を測るため、あるいは楽しい遊びとして作ってくれるわけである。

「点つなぎ」ゲームを覚えているだろうか。点がいくつも描いてあって、その点に番号がついている。1番の点と2番の点、2番の点と3番の点、というふうに点と点を直線でつないでい

●1

なんの絵かな？

く。五〇個かそこらの点をすべてつなぐと、隠れていた絵が現われるという寸法だ。場合によっては、その絵が問いの答えになっていたりする。たとえば「世界でいちばん大きな動物は？」とか。

こんな点つなぎのパズルではなく、上の図のように点がひとつ描いてあるだけだったらどうだろう。

つまりこういうことだ。ひとつの点（つまりひとつの資料）を通る線は無数に引くことができ、したがってほとんどどんな絵でも描ける。ただひとつの資料に基づくなら、どんな議論でも展開できるということだ。

たとえ点がふたつ、あるいは三つになっても、答えの幅はろくに狭まらない。

点がひとつしかない、あるいはほんの少ししかないときに、どうやって点と点をつなぐことができるだろう。まだほんのとっかかりの段階で、解釈や議論——点と点を結ぶ推論の線——をどうして描きはじめることができるだろう。点がひとつ、ふたつ、あるいは三つしかないとしたらどうだろう。「論文用の議論」を組み立てる作業にすぐに取りかかりたいのは山々でも、この段階でどうしたらそんなことができるだろう。

はっきり言って無理だし、やろうとしても時間の無駄だ。研究の初期段階では、問いや解釈の可能性が無数にあるから、点と点を結ぼうとしてもあっという間に収拾がつかなくなる。つまりこのパズルは解けないのだ。これほど「点」の数が少ないと、その点を通る線は何本でも引けてしまう。つまり研究者目線で言えば、資料の数が少ないときは、筋立ても解釈も無限に存在することになる。

しかしここでの教訓は、点と点を結んでまともな議論を展開するためには、それなりの数の資料が必要だというだけではない。もっと深い問題が関わっている。

成長するにつれて、パズルはもう、パッケージされていつでも解ける形で手もとに届くものではなくなってくる。それどころか、パズルを解くことではなく、パズルを作り出すことが大きな目的になっていく。自明でなく、あらかじめ答えがあるものでなく、発展性があって、意味がある（どんな答えが出るとしても）パズルを作るのだ。そしてパズルを作るためには、未知なるものを想像し、特定することができなくてはならない。
たとえば、自動運転車や人工知能など、現代のエンジニアリングの課題について考えてみよう。こういう問題は、穴埋め式やジグソーパズル式の問題ではない。問題を解くどころか、どんなふうに問うのが正しいのかすらまだわかっていない段階だ。人間の複雑な経験を、どうすれば機械に読める形に変換できるのか。「生」や「死」といった概念を、安定的で比較可能な「ライフイベント」の集合に変換し、それを捕捉してデジタル化するにはどうすればよいのか。人間のどういう行動であれば、アルゴリズムを使って予測したり影響を与えたりできるだろうか。

ではここで、この点つなぎゲームのアナロジーが、私たち研究者にどのように当てはまるか考えてみよう。新しいプロジェクトの初期段階で、研究者は独自の点つなぎパズルに直面するが、その遊びかたはシロナガスクジラやビッグデータの例とは異なっている。すべての点が描かれて番号がふってある既成のパズルが、さあ解いてくださいと届けられるわけではないから、研究者には次のような作業が必要だ。

- **点を探せ！** 決まった答えのあるパズルとは異なり、すべての点がすでに描かれているわけではなく、また便利に番号がふってあるわけでもない。偶然見つかることもあるかもしれないが、ほとんどの点は意図的な検索を通じて見つけることになる。

どの点がきみの絵の点で、どの点がそうでないか突き止める。点には番号がふってあるわけではないから、虚心に眺めて、さまざまな可能性を思い描くことができなくてはならない。運よく恐竜の骨の埋まっている場所を掘りあてた古生物学者は、すべての骨が一箇所で見つかったという点では有利だが、他の動物の骨が混じっているかもしれないし、たとえ混じっていなかったとしても、骨格を復元するためにはどの骨がどの骨につながるのか判断することがやはり必要だ。古代中国の文献を古墳から発掘する考古学者も、同様の問題に直面する。文献は竹簡に書かれていることが多く、竹簡は紐で順番どおりにつないであるものだ。しかし、ひとつの古墳から複数の文献が出てくることもあるし、数百年も地中に埋まっていたせいで、糸が腐って竹簡がごちゃごちゃになっていることもある。この考古学者は運よく一回の発掘で数多くの「点」を発見できたかもしれないが、それでも文献と文献を区別したり、竹簡を順序どおりに並べたりする作業が必要だ。すべての「点」がそろっていたとしても、正しい解にたどり着くためには、それを分析する方法を知っていなくてはならないのだ。

どの「点」が「点」ではなく、「しみ」であるか判断する。これを「非資料」という。資料が資料であるのは、問いに答えたり問題を解決するのに役立つからである。その有用性は相対的なものだ。つまり他よりもっと有用なものもそうでないものもあるということだ。場合によっては、それが「きみの」資料ではなく「他者の」資料だと認識されることもあるだろう。なぜならそれが他者の〈問題〉に関連する資料だから。新しい星や銀河、ブラックホールを発見しようとする天文学者は、はるかかなたから、それもありとあらゆる方向から押し寄せる宇宙のノイズを除去しなければならない。見つかるもののすべてが資料というわけではないのだ。そのいっぽうで、最初はただのしみにしか見えなかったものが、じつは興味深い資料だったということもある。たったひとつの点のために、研究プロジェクト全体の方向が変わってしまうこともあるのだ。

•

以上をすべて並行して実行する。点に番号がついていないだけでなく、また点を見つけなければならないだけでもなく、点を見つけてそれをつなぎはじめたとき、まず点1が見つかり、次に点2が、続いて点3が見つかるなどということはまずありえない。たいていの場合、最初に見つかるのは点74で、その次が点23だったりするものだ。そんなこんなで、すでに必要な点がすべてそろっているという確信もないまま、データの解釈を始めるという困難な立場に追い込まれるわけだ。べつのアーカイブを調べてみたり、デジタル文書保管所（リポジトリ）を閲覧したり、この日は民族誌学的調査をし、また別の日は発掘作業をし、また別の日は化学成分分析所で過ごし、またべつの歴史的証人に聞き取り調査をし、あるいはたんに聞き取り調査の録音をもう一度聞きなおし――そんな行動によって点が増えていく。そして点が増えれば増えるほど、絵は次第に鮮明になっていく。点が増えるたびに条件が増え、考えられる解釈の数が減っていく。最初のうち、点の数が少なかったころは、その点のすべてを通る解釈という直線の数は圧倒的に多かったが、その多くはデータがそろうにつれて消えていく。新しい条件を付け加え、それに従うことによって少しずつ答えに近づいていくのだ。

- **じゅうぶんな数の点がそろった時点で、それを見極める。**言うまでもなく、データポイントがいくつあればじゅうぶんかという難問――骨の発掘をいつやめて、いつ報告書を書きはじめるか――に対する答えは、研究プロジェクトごとにさまざまだ。蓋然性、信頼性、確実性の閾値は、研究を進めるうちにおのずとわかってくるものだ。

資料は自分を弁護できない

プロジェクトを進める際には、いくつかの点（まだすべてではない）を結ぶ前に、資料の用いかたについて道義的な問題を考慮する必要がある。

「大人の」パズルと子供のころに遊んだパズルにはいろいろ違いがあるが、線の引きかたを自分で決められるというのもそのひとつだ。子供のパズルでは、連続するふたつの点はかならずまっすぐな線で結ばれる。もともとそういうことになっているのだ。しかし文章はそういうふうに書けるものではなく、議論や説明の構成を考えたり、研究でわかったことを語るさいには、**点と点を直線で結ぶか曲線で結ぶか**――あるいはたいていはこっちだが、直線と曲線をどのように組み合わせて用いるか――を選択しなくてはならない。

たとえば、きみが興味を持っている歴史上の人物について、研究を始めたばかりのころには、基本的な事実が五つしかわかっていなかったとしよう。

- 生年月日
- 育った町
- 教育を受けた機関
- 取得した学位
- 没年月日

これらの点と点を結ぶ非常に異なる三つの方法について考えてみよう。

1 定規で引いた線（きつい、くふうなし）
2 曲線（ゆるい、多少のくふうあり）
3 ジグザグ（非常にゆるい、憶測過多）

定規で引いた線

ジョン・スミスは一九一四年生、シカゴ育ち。イリノイ大学で工学の学位を取得。一九八九年没。

この例は、先に与えられた点と点を、定規を使って直線で結ぶのと似ている。厳密に「事実に忠実」で、まったくなんのくふうもしていないからだ。それと同時に、解釈の努力を放棄しているということもできる。静的というか、生気がないとすら感じられる。

次に、もう少しゆるい方法を考えてみよう。

曲線

ジョン・スミスは一九一四年、ヨーロッパで第一次世界大戦が始まる直前に生まれた。育ったのはシカゴで、当時この都市は活気ある工業の中心地だった。名門イリノイ大学

で工学の学位を取得した。一九八九年に死去。

この例では、研究者は語りによって点と点をそれぞれ結んでいる——すなわち、第一の点から始めて五つの点を通る線を引いているが、それと同時に一定の調子や文脈を補ってもいる。この補われた文脈は、与えられた情報からして不適切なものではない（たしかに第一次世界大戦は一九一四年に始まったし、当時のシカゴは工業の中心地だった）が、それでも書き手の選択はもちろん、戦略さえ見てとれる。スミスの人生は大戦に大きな影響を受けたのだろうか。シカゴの経済史によって大きく左右されたのだろうか。名門の大学を出たことが、スミスの人生になぜ、またどの程度意味を持っていたと言えるのか。「死去」とあるが、これは安らかに亡くなったという意味だろうか。この例では、書き手はどんな意味でも明示的になにかを語ってはいない——たんに暗示しているだけだ。読む側としては、これらの文脈は適切なのか、誘導的でないと言えるのかと疑問を抱くことになる。

次に、極端にゆるい方法を見てみよう。

ジグザグ

ジョン・スミスが生まれたのは一九一四年、第一次世界大戦の勃発という世界史的に見て重要な出来事と同年であり、また亡くなったのは一九八九年で、これまたベルリンの壁崩壊という重要な事件と重なっている。イリノイ大学で工学の学位を取得した。これはおそらくシカゴで生まれ育った影響だろう。当時のシカゴは、「建設屋ビッグ・ビル」ことトンプソン市長に率いられた活気ある工業の中心地だったから。

この第三の例では、書き手は明らかに暴走している。事実という面では誤った情報は述べていない——どの点も正確だし、すべての点がつながれている——が、あやしげな因果関係が山ほど示唆されていて、しかもその裏付けとなる証拠はなにひとつない。トンプソン市長の率いるシカゴで育ったことが、スミスが工学を学んだ「原因」だと言えるのだろうか。スミスの生没年がヨーロッパの大事件と重なったことに、なにか重要な意味があるというのだろうか（ベルリンの壁の下敷きになって死んだわけでもあるまいし）。ほとんどどんな人物についても、その気になって探せば生没年にあった重大事件ぐらい見つけられるのではなかろうか。

ここで、いくつか重要なポイントを指摘しておこう。

1 **資料は自分で自分を擁護できず、またきみに対して反論することもできない。** したがって、資料を正確に代弁することがきみの道義的義務になる。一次資料を扱いはじめたら、すぐに道義的な決定を下さなくてはならない。その第一は、資料をできるかぎり正直に代弁するということだ。

2 研究が誠実であるというためには、たんに事実を扱っているというだけではなく、事実に無理やり物語を語らせないことも必要だ。資料に対して忠実であるというのは、所与の事実の正確さという問題にとどまらない。先に見たように、書き手が「事実」に関してまったく嘘をついていない（ベルリンの壁はまちがいなく一九八九年に崩壊している）場合であっても、点と点の結びかたによっては、書き手が言いたいと思うことを無理やり言わせることもできるのだ。

3 点と点を結んで資料から議論を引き出すのは、常に意図的な選択であって、そこには道義的な責任がつきものだ。資料の扱いが「直線的」で「客観的」であれば、研究者としての責任は果たされると安易に考えてはいけない。点と点を「直線的」に結んだからといって、不純物が混じりこまないわけでも完璧なわけでもなく、またその方法がつねに望ましいわけでもない。機械的に事実を列挙するだけでは、本質的な文脈を無視するとか、根本的な問いを封じ込めるとか、そういう望ましくない影響が生じる恐れがある。研究者にとって、**点と点を結ぶのはつねに能動的な選択を伴う行為**だ。ここで重要なのは、その責任を回避したり軽視したりすることではなく、できるだけ意識的かつ説明可能な形で選択を行なうことだ。決定を下すのは研究者としての責任であり、そして研究者はあらゆる場面で決定を下さなくてはならないものだ。

資料について選択を行なうときは注意が必要だ。資料は自分で自分を擁護することはできないが、だからといって研究者が自分の好きなように操作できる無力な対象物というわけではない。一見すると沈黙しているように見えても、資料には言わばそれ自身の代理人がついているのだ。

資料には以下のような特徴をもつものがある。

- 不完全または断片的。私たちの経験によれば、ほとんどの資料がそうだ。
- 故意に人を欺く――「点つなぎ」ゲームの用語を使うなら「だましの点」だ。文書は嘘をついていることがあるし、面接調査の対象者、被験者、観察者もそれは同じだ。
- たまたま間違っている。人間（および人間が残していくさまざまな発言――文章や録音など）は、そのつもりもなく嘘をつくことがある。これはおそらくその人自身が、誤った、あるいは不完全な情報に基づいて発言しているためと考えられる。
- 偏っている。誠実に、あるいは善意をもって真実を語ろうとしているが、無意識のバイアスによって歪められている。そのころ人々は太陽が地球のまわりを回っていると考えていたのかもしれない。人種や植物の分類が違っていたのかもしれない。立場や出自のゆえに「私の文化ではXを信じない」と言っているのかもしれない。その主張は憶測だったり予測だったりするかもしれない。

- 認めているかどうかにかかわらず、なんらかの目的や動機がある。ある視点をとるように、あるいはある思想を受け入れるように研究者を説得しようとしているのかもしれない。
- 一貫性がない。信頼できるときと信頼できないときがある。専門家でも間違うことはある。

右にあげたのは、すぐれた研究者が常に批判的に資料を見ようとする理由のごく一部に過ぎない。どんなに信頼でき、権威があるように見えたとしても、資料に対しては疑いの目を向けなくてはならないとかれらは知っているのだ。裏付けとなる証拠、あるいは反証となる証拠を探さなくてはならない。どちらもその価値がある。自分の資料を評価するさいは右の箇条書きをチェックリストとして用いて、資料をよりよく理解するためにもっとこんなことが必要だと気づいたら、それを忘れずメモしておこう。

研究の初期段階で資料を評価するさいに、心に留めておきたい注意点がもうひとつだけある。これはきわめて重要なことだ。右に述べたような資料に出くわしたとしても、**それでも役に立つかもしれないのだから、すぐに却下したりしてはいけない。**却下するのでなく、問いを生み出す作業に利用するのだ。この資料はなぜ私をだまそうとするのか。この資料はどんな現象の表われなのか。問いを生み出したり鍛えたりするときに、「悪い」材料というものは存在しない。放射性物質であってもエネルギーを生み出すために利用できる。疑わしい資料に出くわしたら、それをうまく活用してきみの目的に役立つエネルギーを生み出そう。

やってみよう――資料を用いて点と点を結ぶ（ただし鉛筆で）

目標	研究の早い段階で、柔軟かつ懐を広く保ちつつ、資料批判について考え始める。

先走りしすぎているように思えるだろうか。いまはまだテーマに関する資料を集めている段階で、どれが使えるか判断しようとしているところなのだ。自分の〈問題〉にとってそれが「一次資料」かどうかすらまだわかってもいないのに、選り分けたり、点に番号を振って、並べてパターンを考えたりするのは早すぎるのではないだろうか。

そうとも言えるし、そうでないとも言える。

何度も言うが、研究は直線的に進むものではない。だからこそ自分のアイディアや問いや資料について、つねに仮定法でじっくり考えようと口を酸っぱくして言いつづけているのだ。「もし〜だったら」と考える癖をつけよう。旅に乗り出す前に、じっくり時間をとって進むべきコースを描き、必要なら何度でも描きなおそう。

実践面から言うなら、これはつまり研究上の課題（たとえば、研究というパズルは自分で作り出すもので、できあいのパズルがそのへんに落ちていたりはしないだろうとか）を認識し、性急にある問いに飛びついたりプロジェクトを強引に進めたりせず、さまざまな可能性を試してみるということだ。

この演習のさいには、きみの資料を用いて点と点をつないでみよう。ただし、後でその線を消して引きなおせるように鉛筆でつないでおくこと。きっと引きなおしが必要になると思ったほうがいい。

やることは単純だが、これまでに自分証拠を作るさいに積みあげてきた成果と、それをどのように合成するかという新しい視点から見なおすことがともに必要になる。いま、きみが研究のどの段階にいるかということに基づいて以下の問いに答え、その答えを書き留めておこう。これは修正と更新が何度も必要な反復的工程だから、あとで必要に応じてくりかえそう。

1　私の点（資料）はどこにあるだろうか。演習「一次資料を思い描く」で書いた内容を利用しよう。

2　どの点が自分の絵の点で、どれがそうでないかをどうやって判定するのか。この問いと次の問いに答えるさいには、きみの動機となっている問題についてできるだけ正直でなくてはならない。

3　手持ちの資料のうち、どれがしみではなく実際の点なのか判別するにはどうしたらいいか。

4　正確な三次元の図像を描くには、点をどのように配置するのが最もよいだろうか。下絵を描く作業だと考えよう。きみがいまやろうとしているのは、さまざまな筋書きを試してみることだ。そのために手持ちの資料の組み合わせかたや並び順をいろいろ変えてみて、各資料が互いにどのように響きあうか確かめるのだ。言うまでもないが、ここでパズルのピースを無理やり合わせようとしてはいけない。

5 問いに答え、〈問題〉を解決し、プロジェクトを完成させるには点がいくつ必要になるだろうか。この質問に答えられるのはきみだけだが、きみの〈反響板〉に相談するのも役に立つかもしれない。

よくある失敗

- この段階に入るには、必要な資料が*すべて*そろっていなくてはならないと考えてしまう。確かにこの作業に着手するには複数の資料（点）が必要だが、*すべて*必要というわけではない。
- 鉛筆ではなくペンで書いてしまう。いま資料と資料の間に引いている線は、あくまでも暫定的な憶測に基づくものであることを忘れないように。あとでその判断は見直す必要が生じるものなのだから、最初の考えに「しがみつく」必要があると思ってはいけない。

研究資源の評価

資料はある程度そろった。それを使って自分の〈テーマ〉について考え、また〈問題〉に焦点を当てようとしはじめたところだ。すでに物質的な要素と道義的な要素をそれぞれ考慮し、キーワード検索の記録を残し、そういう「点」を資料とどう結びつけるか意識しているだろう。この時点で、きみは自分のアイディアが形をとりつつある精神空間にいながら、同時に研究がどこへ向かうかについてはまだ柔軟な態度を保っているはずだ。しかし研究案を形にして研究プロジェクトを立ち上げるには、ほかにもさまざまな物理的要因を考慮に入れなくてはならない。たとえば次のような要因だ。

- **時間。**現実的に言って、研究に使える時間はどれぐらいあるか。いつまでにプロジェクトを終了させなくてはならないか。与えられた時間で、きみの問いに十分に対処することは可能か。その期間に、ほかの活動にどれくらい時間を割かなくてはならないか。
- **資金。**必要と思われる作業に費用はどれぐらいかかるか。どのような資金が使えて、その資金はどのような種類の研究費をカバーしてくれるか。それで足りるか。足りないとしたら、中核的な問題を犠牲にすることなく、資金的に実現可能なように研究場所を移す道があるか。

- **執筆速度。** きみは厳しい締め切りにもめげず、研究成果を短時間で文章化できるタイプだろうか。それとも自分の問いについてじっくり時間をかけて考えるほうだろうか。きみがやろうとしているのは、短期間に終えなければ価値がなくなるような研究だろうか。
- **家族としての責任。** 家族の問題が、研究に使う時間にどのように影響を及ぼすだろうか。家族に対する義務から考えて、どのような種類と規模の研究が可能か。育児や介護をしているか。短時間でできる分量に仕事を細分化し、長期間にわたって分散させて処理することはできるか。それともきみの研究の性質からして、完了まで長期間ぶっ通しで仕事することが必要か。
- **アクセス。** この研究を行なうために必要な資料は入手できるか。きみの図書館は、必要になりそうなデータベースに加入しているか。プロジェクトに不可欠と考えているアーカイブや企業のファイル、個人の文書を閲覧できるか。きみの提案する研究は政治的に微妙な問題に抵触していないか。抵触している場合、資料へのアクセスを許可してもらえるか。
- **リスク耐性。** 紛争地域や火山を研究する場合、研究者は生命の危険のある状況に身を置くことになる。きみは危険にどの程度耐えられるか。また厳しい環境や不便についてはどうか。たとえば医療機関や電気、水道が使えない状況で長期間働くことができるか。現実的に考えてみよう。

- **能力。**きみやきみの研究チームはどのような技能を持っているか。何語を話したり読んだりできるか。この研究を実施するために必要な専門知識や技能があるか。
- **人間の研究対象。**きみがやろうとしている研究では、危険にさらされている集団（疎外されたコミュニティや児童など）に対する調査が必要か。人間を対象とした研究では、倫理委員会の承認が必要ではないか。秘密保持、データセキュリティなどなどの観点から、そのような研究に特有の困難に対処する用意が適切かつ厳密に行なわれているか。情報源の安全を保つことができるか、きみの研究によって危険にさらされたりしないか。
- **性格。**とくに抽象的でありながら重要でもある要因のひとつに、きみ自身の性格がある。人の感じかたを「外向的」と「内向的」のふたつに分けるのは大雑把すぎるが、ともあれ次のような重要な問いに答えてみよう。どのような状況できみのなかのバッテリーは再充電され、どのような状況だと消耗するか。人と頻繁に接触すると元気が出るか、それともひとりで仕事をするほうが好きか。これを念頭において、自分の研究でどのような調査が必要になるか現実的に考えてみよう。長期間ひとりで文献を読むことが必要か。それとも朝から晩まで研究室での作業やフィールドワークが必要で、ひとりの時間はないも同然なのか。

ここで重要なのは、自分自身、自分の人格や能力について「本質主義」に陥らないことだ。いま自分で自分がどんな人間だと思っているかにかかわらず、研究の影響力は極めて強く、限界に挑戦するよう研究者を促し、変容させることすらあるということを忘れてはいけない。だから、そんな一面が自分にあるとすら思わなかったような面が引き出されたとしても驚くことはない。同様に、プロジェクトが重要だと思うあまり（それぐらい研究に打ち込んでしまって）、今回に限っては少々の不快などどうでもいいと感じられることもある。

これは憶えておいてほしい。自分自身の限界を認識し、それに応じて行動するのは悪いことではない。自分が傷つくようなプロジェクトは追求しないと決めるのも、同様に悪いことではない。

そして何より、これは忘れないでほしい――あるプロジェクトを実行しないと決めた場合でも、それは自分自身、あるいは自分の抱える根源的な問題を放棄するということではない。先にも軽く触れたし、本章のあとのほうでもっとくわしく見ていくが、別のプロジェクトにきみの〈問題〉を見出し、それを追求することで、同じように有意義な研究を同じように厳密に行なうことも可能なのだ。

やってみよう――意思決定マトリックス

目標
研究プロジェクトの成否に、プラスにせよマイナスにせよ大きな影響を与えそうな要因を想定し、それに応じて計画を調整する。

表6に物理的要因をいくつかあげておく。
表7を手本に、以下のステップで作業を進めよう。

1 いまきみが思い描いているプロジェクトを実行するとして、その成否に影響を与えそうな要因をすべて書き出す。一〇個から一五個は書き出すようにしよう。以下のように表現するとよい。

「私は知らない人と話をするのが好きだ」(性格)
「月曜から金曜は、午後三時に子供を迎えに行かなくてはならない」(家族に対

表6　**物理的要因**

・時間	・家族に対する責任	・能力
・資金	・アクセス	・人間の研究対象
・執筆速度	・リスク耐性	・性格

する責任）

「私は数学が得意で、統計は特に好きだ」（能力）

「助成金Xがもらえないと、フィールドリサーチができない」（資金）

2 それぞれをプラスの要因とマイナスの要因に分類する。

たとえば社交の場が得意で、まったくの初対面の人と会って話をすることで元気が出るなら、広範な面接調査が必要なプロジェクトを想定している場合は、それをプラスの要因と分類できるだろう。逆に、社交の場では強い不安に苦しむという場合は、マイナスの要因に入れるべきかもしれない。

3 それがプロジェクトにどの程度影響すると思われるかによって、各要因を高強度、中強度、低強度に分類する。

ステップ2に関する注意点——「プラスの」要因と「マイナスの」要因について分類するとき、その目的は人間としての自

表7　意思決定マトリックスを作成する

高強度	要因1	要因2	要因3	要因4
プラス				
マイナス				
中強度	要因1	要因2	要因3	要因4
プラス				
マイナス				
低強度	要因1	要因2	要因3	要因4
プラス				
マイナス				

分を評価することではない。外向的であれ内向的であれ、根本的にどちらがよい悪いということはないのだ。ただ、いま思い描いているプロジェクトと人間としてのきみ自身との相性を評価するというだけである。目標は、プロジェクトに影響を及ぼすさまざまな要因について、正直でありのままの概要を作成することにある。

表7はサンプルだから、必要に応じて自由に要因の数を増やしたり、列を追加したりしてかまわない。

それぞれの要因について概要を書き込むか、そのほうがよければ「もし～なら」の場合分けをリストアップしてもよい。

どちらを選択するにしても、プロジェクトを実行するのになにが必要か書き出す際には、できるだけ具体的に書くこと、そして自分の能力や限界に関して自分に嘘をつかないこと。どの要因が最も影響が大きく、どの要因が最も小さいかをはっきりさせよう。そしてそれに基づいて、さまざまな種類の研究プロジェクトについてきみの成功の可能性を考え、それに応じて問いを調整することだ。

よくある失敗

- プロジェクトの完了までにかかる時間を過小評価する。
- 「専門的な」要因のみをリストアップし、研究の進捗に影響を与えそうな個人的要因を考慮しない。
- 倫理的な要因を考慮しない。たとえば人を対象とした研究で、それが参加者に及ぼす影響など。

反響板——きみの意思決定マトリックスは完全か

さまざまな研究の実現可能性を評価し終わって、それを意思決定マトリックスに書き出したら、それをもとに〈反響板〉にアドバイスを求めよう。きみが気づいていなかった資料や研究ツール（や制約）を指摘してくれるかもしれないし、きみが利用したいと思っているアーカイブについて、それを実際に使ったことのある人を紹介してくれるかもしれない。師匠(メンター)と話すことで、効率よく表の精度を高められるだろう。

二種類のBプラン

言うまでもないが、なにもかもきみの思いどおりに進み、意図した研究が順調に進めばそれに越したことはない。しかし、そううまく行かなかった場合に備えて、べつの経路を進む用意もしておきたいものだ。研究者として、私たちのやっていることの多くはあれやこれやのBプランだと言える。柔軟であることが仕事の一部だと早めに学んでおくのが一番だ。それどころか、困難に直面して克服したり、目標達成への障害を素早く回避したりするのが、研究していて一番面白いときだったりする。

ここでふたつのシナリオについて見ていこう。

シナリオその1：同じ問題、異なる事例

適切な問題を見つけたものの、きみの思い描くプロジェクトが実践上の理由で実行できない場合はどうしたらよいのだろうか。

トムの情報史のクラスの学生が、論文のテーマについて話し合うために面談にやって来た。学生は行動主義と抗議活動、およびソーシャルメディアに基づくネット上の組織と、現実に存在するオフラインの組織との関係に関心を持っていた。もしあるとすればだが、このふたつにはどんな関係があるのだろうか。とくに関心があったのはブラック・ライヴズ・マター（BLM）だったので、学生のもともと考えていた問いは、「現実世界でのデモや行動を支援するために、BLMの活動家はどのようにネットの組織化手法を利用してきたか」だった。

テーマも問いもすぐれていたが、現実にはあまりに障害が大きすぎた。何か月もかけてBLMの活動家にインタビューを行い、民族誌学的な調査を実施し、さらに信頼を勝ち得て個人的

なアカウントや活動の記録（文章や電子メールなど）を見せてもらうことができれば、実に見上げたプロジェクトになったかもしれない。しかしこの学生は数週間でプロジェクトを立ち上げて完了させなくてはならず、個人的なデータにアクセスする方法もなく、信憑性のある経験的根拠を積みあげるために必要な民族誌学的フィールドワークを行なう時間もなかった。すばらしい問いを用意してはいたが、プロジェクトを思い描いたとおりに成功させる条件がまったく整っていなかったわけだ。どんなに経験豊富な研究者であっても、このようなプロジェクトを数週間で終えようとしたら、複雑なテーマに真摯に取り組むなどとうてい無理だろう。

ではどうするか。

この問題を完全にあきらめる前に、学生とトムは問いの深層に迫ろうと議論を続けた。「ソーシャルメディア」や「ネット上の組織」などの用語にあまり目を奪われず、その根底になにが関わっているのか見極めようとする。つまり、それらの用語はそれぞれなにの「容れもの」なのかということだ。学生の関心は基本的にツイッターやフェイスブックに関連しているのか（いえ、かならずしもそういうわけではありません）。他の種類の通信技術や情報技術でも興味の対象になっただろうか。たとえばＢＬＭ運動が一九一〇年代とか一九六〇年代に起こっていたとしたら、電話とか電信技術でもやはり関心の対象になっていただろうか（はい、なったと思います）。

では昔の公民権運動についてはどうか。テーマはブラック・ライヴズ・マターに絞らなくてはならないのか、それとも昔の歴史的事件でもかまわないのだろうか（それはかまいませんが、ただ、とくに人種差別に関わる運動でないとちょっと）。

この演習のおかげで、学生は自分の問いの深層にある「問題」を驚くほど短時間に特定することができた。

突如として、検討すべき潜在的な事例の世界が開けた。しかも核となる問題はずっと変わらないままなのだ。フリーダム・ライドの参加者やマーティン・ルーサー・キング・ジュニア、学生非暴力調整委員会（SNCC）のメンバーは、その運動中に通信技術をどのように利用していたのだろうか。またたとえばそう、ガンジーやセサル・チャベス（米国の労働運動家。一九二七－九三）はどうだろう。特に言えば、たんに事前にデモ行進を組織するためだけでなく、「突然の」緊急事態のさい——主要メンバーが逮捕されたとか、物理的な緊急事態への対処が必要になったとか、刻々と変化する環境において報道機関と連絡をとる必要性が生じたとか——に、これらの組織はどのように技術を利用していたのか。インターネット時代のいま、こういう場面では当たり前のように通信技術が使われているものだが。

突如として、この研究プロジェクトを実行するのに、何年間も民族誌学的調査を行なう必要も、政治活動家の個人的な日記を見せてもらう必要もなくなった。自分の研究の深層に隠れていた問題に気がついたため、別の手段でその問題を追究することが可能になったわけだ。アナログ形式（近くの図書館や博物館や大学のアーカイブ）であれ、オンラインのアーカイブであれ、適切な一次資料をまとまった形で見つけられる可能性が格段に高くなったからである。

ここで重要なポイントは、研究対象としての「事例」を知っているだけでなく、研究者として自分の中核的問題はなにかということがわかっていれば、それはいわばパスポートを手に入れたようなもので、ありとあらゆる種類の場所や時代、共同体を訪れることができるようになるということだ――それも、研究の「中心」を離れることなく。それだけではない。たとえばの話、この学生がトムと話した直後に、それまで知らなかったブラック・ライヴズ・マターに関わる一次資料のリポジトリがひょっこり出てきて、しかも最終プロジェクトに間に合うように調べられることになったとしても、この内省の段階を経たことによって、自分の問いに潜む中核的な問題を知って初めて得られた洞察をもって、この事例に取り組むことができるわけだ。たとえば、BLMの組織化の技術が、ソーシャルメディアがあったおかげで根本的に前例のないものだったと頭から決めつけるのでなく、この「ネットとリアル」の二項対立を、より広範な歴史的コンテクスト――たとえば、技術を介したコミュニケーションと実地の組織という――において考えることができる。いずれにしても、その研究によって学生はこの問題に対する理解を深めることができるだろう。

要するに、現実的であるために理想を捨てる必要はないということだ。自由に発想の翼を広げて、そこから実現可能な研究プロジェクトを生み出すことができないわけではない。しかし、やりたいことが大きすぎて資源が追いつかないとしても、あきらめることはない。きみの問いやプロジェクトの根底にある問題に立ち返って、それを追究するのに使えそうなべつの事例を探せばいいだけだ。

シナリオその2：同じテーマ、異なるプロジェクト

きみの思い描くプロジェクトが理論的には実行可能だが、ただきみにはできないという場合はどうするか。

ブラック・ライヴズ・マターの例で見たように、自分の中核的な〈問題〉を知っていれば、いくつものさまざまな事例にそれを見いだすことができる。自分はブラジルか女性文学にしか関心がないと思っていたのが、実際の〈問題〉に気がつくことによって、「ブラジル」も「女性文学」もじつはその〈問題〉の事例でしかなかったとわかったりするわけだ。そしてそのおかげで、プロジェクトをさまざまな形に置きかえることができるようになるのだ。

しかし、きみが事例を選択する際の制約には、情報源の能力や時間的制限より、さらにきびしい条件も存在する。〈問題〉に適した事例を選ぶためには、きみの気質も考慮しなくてはい

けない。つまりきみという人間に適していなくてはならないわけだ。たとえば、現代社会の周縁で暮らすコミュニティ内部の人々について調べたいとしよう。きみの街のホームレスの集落で暮らす人々や、ラストベルト〔米国のピッツバーグを中心とする斜陽化した鉄鋼業地帯〕の無職の若者、精神疾患に苦しむ人々、不法移民などだ。このような疎外されたコミュニティはみずからを物語る力を持たず、そのために外の世界がかれらを理解することができなかったりする。そしてそのことが、感情的にも知的にもきみを悩ませる。

しかしここでさらに、きみが強度に内向的な性格で、社交的な場では強い不安を感じるとしてみよう。長期にわたる大規模なフィールドワークが必要になるような、そんなプロジェクトをきみは実行できるだろうか。家族や日常生活やきみを支えてくれるあれこれから遠く離れたような状況で、長期間耐えられるだろうか。まったく異なる環境に没入することになったとして、きみはやっていけるだろうか。

答えが「イエス」なら、たぶんそれはきみに適した研究事例だ。しかし「たぶん無理だと思う」だったとしても、がっかりする必要はない。そしてもっと重要なのは、それを**否定しようとしない**ことだ。この事例をあきらめたら、自分の〈問題〉をもあきらめることになるのではと心配かもしれない——が、そんなことはない。自分の〈問題〉に共鳴し、その本質を理解している限り、**きみをわくわくさせたり悩ませたりする深層の問題を放棄せずに、研究事例を大**

幅に変更することは可能だ。その方法がわからないなら、きみの深層の問題を理解するのに役立つ内省の作業をまた初めからやり直すとよい。きみの動機をさらに掘り下げることができれば、魅力的で適切なべつの事例を次はもっと簡単に見つけられるだろう。

以上で、プロジェクトが軌道修正を迫られる一般的な理由をいくつか、さらに方向転換する最善の方法について見てきたところで、成功するプロジェクトを設計するためのより実際的な作業について見ていくことにしよう。すなわち作業場を用意し、適当な道具を選び、きみのニーズに適した作業スケジュールを組むことだ。

作業場を用意する

研究者は職人だ。職人である以上、自分の好きなように作業場を整えることが重要だ。本職の芸術家や音楽家の友人がいる人は知っているだろうが、かれらは楽器や道具や仕事の習慣について話すのが大好きだ。画家は理想の絵筆を探し、バイオリニストは理想の弓を、オーボエ奏者は理想のリードを、ギタリストは理想の弦を探し求める。同じことは、料理人と包丁、釣り師とルアー、機械工と機械についても言える。

じっくり時間をかけて作業環境を整えれば、自分で自分に感謝することになるだろう。きみはその物理的空間で、その道具を使って長時間過ごすことになるのだ。第1章で問いは小さく始めるのが一番と説明したのを憶えているだろうか。作業場を整えるときも細かいところが重要だ。一見すると些細な物事でも、適切に整えれば、やる気や生産性や幸福度の増大という利益が得られる。物理的条件に配慮するのは決してつまらないことではない。それは、きみの幸福ときみの研究の成功に影響を与えるからだ。

手持ちの資源と達成したい内容を考えて、どの道具に投資する価値があるか評価しよう。何時間もの面接調査が必要なら、マイクやレコーダー、そしてデータの保存と検索のシステムが必要だ。フィールドでボイスメモを作成するなら、音声をテキストに変換する信頼性の高いソフトウェアと、長持ちするバッテリーにお金を使うほうがいいだろう。コンサートピアニストは、私たち一般人が自動車の購入に使う（あるいは使える）よりも多額の金をピアノに惜しみなく注ぎ込むものだ。これは、ピアニストにとってはピアノは贅沢品ではないからだ。潤沢な資金のある研究者なら、助手を雇うことでより大きな成果をあげられるかもしれないが、これはだれにでもできることではない。なにが必要か（欲しいかは二の次）を考えて、「いまここでは、これが私にとって完璧」と言えるように作業環境を整えよう。

しっくり手になじむ皮むきナイフや毛筆があれば、料理をしたり作品を制作するのがそのぶん楽しくなるし、やる気も出るし、楽々とできるような気さえするものだ。研究者のきみにとってもそれは同じだから、**自分の道具や作業場について考えるのを怠ってはいけない。**

というわけで、きみの作業場をスムーズに運営するのに必要なものをいくつか紹介しよう。

適切な道具

手書きの場合は、ペンや鉛筆は慎重に選ぼう。鉛筆の芯はきみに合っているだろうか。硬すぎたり折れやすかったりしないか。ペンと紙が合っていなくて、滑ったり引っかかったりしないか、インクがこぼれて汚れたりしないか（そしてそれが気にならないか）。書いていてどれぐらいで手が疲れるか。また同様に、字を書く気分になるためには二五ドルの革装のノートが必要か、それとも近所のドラッグストアでビニール袋に入って二ドルで売っているルーズリーフ紙で十分か。このような選択も大きな影響を及ぼすことがある。革装の立派なノートだと、ちゃんとしたものを書かなくてはという気持ちになり、より多くのエネルギーを注ぐことができるかもしれない。よい意味で「スローダウン」して、もっと自分のアイディアをじっくり時間をかけて考えようという気になるかもしれない。その反面、革装のノートは恐れ多い感じがし、その値段や装丁の前に物おじして気軽にものが書きにくいかもしれない。つまらないことを書くんじゃないぞと言われているかのようだ。ちょっとした思いつきなど、もったいなくてこのノートには書けないと思い、本当に書く「価値のある」ことを思いつくまで、この綺麗なページは汚さないでおこうと考えてしまう。しっかり考え抜かれたことを、磨き抜かれた文章で書かなくてはならない。下書きや断片的な考えでページを汚すなどもってのほかだ。これでは用紙の選択で大失敗である。文章を書いたりメモをとったりするのはそれでなくてもむずかしい。さらにハードルをあげる必要はないだろう。というわけだから、紙やノートはあまり高級品でないほうが無難かもしれない。

こういうことはどれも取るに足らないことと思えるかもしれないが、作業環境に関することはどんなことでも、書きたいという欲求や、やる気の持続時間、それどころか文章の質や調子にまで影響を与える。ちっぽけなメモ帳のように、無意識のうちに余裕がないとか窮屈だとか感じさせる道具を使っていると、**それがきみの仕事に影響を及ぼす**。アイディアを大きく広げにくくなったり、やたら短い文章しか書けなくなったりする。同じように、面倒で不便な道具（Wi-Fiに接続していないと書けないアプリとか、持ち運びしづらい大きなスケッチブックなど）を使っていると、どうしてもメモを取るのがおっくうになってしまいやすい。芸術家や音楽家や職人と同じように、研究者であるきみも道具にこだわるのは当然のことだ。

適切な時間帯

いつ、いつ書くべきか。具体的に言えば、**どの時間帯をどのような文章を書くのにあてればいいの**

だろうか。答えは人によって大きく違うが、一応経験則を言えば、元気で集中力がある時は「取りかかりづらいこと」をやり、疲れたり注意力が落ちている時には「頭を使わない」仕事をしよう。午前中や深夜に頭が冴えるという人は、その時間帯に新たに文章を書き始めよう。対照的にそれ以外の時間には、疲れて注意力散漫になりやすいという人が多いので、あまり創造性の必要でない作業に時間を割り振るのがよい。たとえば脚注の整理とかスペルチェックとか。

　文章を書くにも時機というものがあり、ときにはプロジェクトを休ませて土壌を再生させなければならないこともある。ちょっと休憩して散歩に行く。映画を見る。運動する。食事をする。眠る。仕事を「休んでいる」ように感じるかもしれない――実際そのとおりだ。しかしじつのところ、おそらくきみの頭は執筆というパズルにそのあいだも取り組んでいて、きみ自身は意識的にはなんの努力もしていないのに、複雑な結び目を解いていたりすることさえある。そういうことがあると（じつはよくあるのだ！）、そのあとで執筆に戻ったときには、自分の代わりにだれかが問題を解いてくれたとか、暗号を解読してくれたにちがいないと感じたりする。なぜなら、複雑でむずかしくてどうしても表現できないと思えたことが、なんの苦もなくすらすらと文章になって流れ出てくるからだ。

　またたれかに、あるいはなにかに、自分の文章を読み上げてもらうという手もある。自分の原稿を読み返すのはもうたくさんという場合は、友人に声に出して読んでもらおう。どんなに親しい友人にもそんなことは頼めないと思うなら、簡単に利用できる「テキスト読み上げ」機能を使えば、書いた文章を音声に変換してくれる。ゆったり座って、あるいは立っていてもいいが、自分の原稿が読まれる（ぎこちない機械の声が滑稽に感じられることもあるが）のに耳を傾けよう。それで気がつくのは、自分の文章を何度も読み返しすぎて慣れっこになり、もう原稿のミスを見つけられなくなっていても、なぜか耳から聞いているとすぐに「見つかる」ということだ。なんだか「おかしい」と感じ、気になって原稿を見直してみると、その原因に気づいて間違いを修正することができるというわけである。

文章の調子にも耳を傾けよう。文章はこなれていて説明は丁寧か、ところどころ性急に感じるところはないか。独りよがりな文章が長々と続いているところはないか。また冗長な箇所はないか、あるいは文章が長すぎて切れ目が必要なところはないか。また、ひとつのパラグラフに同じ長さの文章が多すぎると、変化が欲しいと感じるかもしれない。

忘れてならないのは、論文を人に読んでもらうとき、その内容がかれらの頭に瞬時にダウンロードされるわけではないということだ。論文を読むのはひとつの経験であり、それを充実した経験にできるかどうかはきみ次第なのだ。

やってみよう――無から資金を生み出す（正式な研究計画書を作成する）

目標

急に思いがけないショックを与えて、これまでに蓄積してきた「潜在的なエネルギー」に触媒作用を及ぼすこと。つまり、未完成のきみのプロジェクトについて、先を見越した正式な計画書を作成し、自分の研究を支援してくれるよう他人の説得を試みるということだ。この研究計画書はまた、現時点でのきみの思い込み――他人がきみの研究のどこに興味を感じると、いまのきみが思っているか――をさらにくっきりと浮かびあがらせてくれるだろう。どう見ても時期尚早だと思うだろうが、疑ってはいけない。これはまちがいなく必要な作業なのだ。

これまではずっと、自分の内部を見つめるように、外の世界を気にしないようにと口を酸っぱくして言ってきた。自分自身の直感を認識し、信頼するようにと力説もした。検索結果を眺めたり一次資料を調べたりするときですら、プロジェクトを外側からでなく内側から考えるのがきみの目標だったわけだ。

しかしこの演習では、ほんのいっとき、外に目を向けてほしい。これまで繰り返してきた自分との対話をひっくり返して、きみのプロジェクトを想像上の読者に向けて、現時点で可能な限り首尾一貫した説得力のある形で説明してみよう。それも、ちゃんと準備が整う前にやるのだ。

きみの研究プロジェクトのタイトルは？

きみの研究で扱う主たる問いは？

これまでその問いを扱う人がいなかったのはなぜか、あるいは適切に答えられなかったのはなぜか。

その問いに答え、きみの〈問題〉に取り組むにはどんな一次資料が必要か。

ここでひとつ警告（とはいえ慰めでもある）。**まだそんな用意はできていないと感じるだろう。それでいいのだ。**そもそも、まだちゃんとできあがってもいないプロジェクトの要点を、どう説明してよいのかわかるはずがない。しかし悩んでいる暇はない。大事な試験や面接の日の朝、前の晩に停電があってアラームがリセットされたとか、スマホの電池が切れていたと想像してみよう。目が覚めてそれに気づき、押し寄せる怒涛の切迫感。もう行かなくちゃ！

タイトルが決まってないって？　なにかでっちあげろ！　必要となる一次資料のリストがまだ固まっていない？　いま固めるんだ！　きみの研究のもつ意義についてまだ考えがちゃんとまとまっていないって？　口を開いて適当に話し出せ。すでに幕は上がり、きみはステージに立っていて、聴衆が待っている。要するに、いまだけでいいから、実際よりもずっと先まで研究が進んでいるというふりをして、研究助成機関を説得するのだ。毎年そこに押し寄せる多くの立派な申請書のなかから、きみのプロジェクトを選んでもらわなくてはならない。

一体全体なぜそんなことをしろと言うのか。この本の主眼は、内省と忍耐と自分中心を説くことではなかったのか。それはその通りだが、ここで重要なポイントをふたつ肝に銘じておいてほしい。

第一に、研究には想像力が必要だ。たしかに、能力や粘り強さ、誠実さなど他にも必要な資質はある。山のようにメモを取り、そのいっぽうで綿密に記録を残し、ファクトチェックをし、出典の引用をしなくてはならない。しかし研究とは、ただ書き写したり、速記したり、既存のアイディアを正確に再現することではない。まだ存在しない現実やアイディアを思い描く能力が必要不可欠だ。そしてまだ存在しないのだから、**どれだけ準備をしようとも、「一〇〇パーセント準備完了」で始められるなんてことはない**のである。

要するに「じゅうぶんに知ってから始める」のは絶対に不可能なのだ。

これは、プロジェクトを何年もかけて用意する人にも、数週間しかない人にも等しく当てはまる。にもかかわらず、「始めなければ終わらない」。

直感に反しているように思えるかもしれない。それなら……

まだ一ページも書かないうちに、本にタイトルをつけよう。

ドキュメンタリーをひとコマも撮影しないうちに、タイトルをつけよう。

さらに進んで、まだ書いていない本の紹介文を書こう。帯の煽り文句を書こう。今度は手厳しくやっつける批評文を書こう。次はそれに対する著者の反論を書いてみよう。

「口をきくが知らない、主導権を握っている部分」と「知っているが口はきけない直感的な部分」の話をしたのを憶えているだろうか。ここまでは、その直感的な部分を確立することに重点を置いてきた。風水の学生の例で見たように、直感を無視したり押さえ込んだりすると、なにも決められないとか、不適切な計画に手をつけるとかいうことになりかねない。しかし最初に直感の声に耳を傾ければ、主導権を握っている部分の仕事はずっと容易になる。次から次にアイディアが湧いて出てくるからだ。

そろそろきみの「主導権を握っている」部分を呼び戻すときだ。いまならそれにになをさせればいいかわかる。きみの直感的な部分を怒鳴りつけて黙らせるのではなく、またもっともらしい文句で踏みつけるのでもなく、主導権を握っている部分がいままでは直感的な部分に協力し、それの求めに応じて動きはじめる。

すると信じられないことが起こる。最初のうちは、断固たる響きの文章を書くたびに身が縮む思いをするかもしれない。なぜなら心のうちでは、まだなにもかもあやふやだとわかっているからだ。無理やり自信たっぷりを装っているように思えるだろう。詐欺を働いてるような気さえするかもしれない。

ところがところが……一文を書き、たぶんまたもう一文を書いて、きみはふと手を止めて考える。待てよ、これはそんなに悪くない。すべての文章をそのまま残せるわけではないが、ここのところはけっこういいじゃないか。自分の書いたものを読み返してみて気づく。こんなのいままで考えてなかった。これは新しいアイディアだ。ひょっとしてなにかつかんじゃったかも！　まるで他の人が書いたものを読んでいるような不思議な感覚だ。

ここで起こっているのはこういうことだ——まだ未完成で不完全なアイディアを文

章にするというストレスのせいで、きみの主導権を握っている頭脳の部分が自動操縦状態に入り、次から次に「一見気の利いた」文章を組み立てはじめる。しわを伸ばし、隙間や裂け目を埋め、よく知らない人が読むと、書き手はちゃんとわかって書いていると思いこむようなパラグラフを組み上げていくのだ。

　肝に銘じるべき第二のポイントは、この演習はまだ内省段階の作業だということだ。まだいわば「密室」のなかでやっていることなのだ。ここで作成する研究計画は、実際に外の機関に提出するものではない。このような架空の作業をいま実行する——きみのテーマについて他にどんな研究が存在するのか、当然調べるべきことをまだ調べていないのに——理由は、この未熟で荒削りの段階でしか作り出せない種類の自分証拠を生み出すためだ。「資料をあとひとつだけ！」と自分に言い聞かせて「開始日」を遅らせるたびに、きみのなかの尖った部分がまたひとつ削られて滑らかになり、新鮮な探究心だったものが、もっと形式的で「職業的」なものに徐々に変質していく。

　磨きをかけるのはあとでよい。今のところ、何より必要なのは、あるテーマに対する**きみの最初の考え、きみの課題を文章という形で表現しておく**ことだ。

　最初のころ、新鮮な探究心に燃えていたあのころ、私はなにを考えていたのだったろうか。まだ着手する段階ではないなどと決めつけずに、書き留めておけばよかった。

研究者として、こんな後悔は絶対にしたくないものだ。

この演習を実行すれば、そういう最初期の考えを記録しておけるだけでなく、自分中心という基盤を固めるのに役立ち、第2部で踏み出す次の大きなステップ——より広い学問の世界を探求するという——に備えることができる。

さあやってみよう。

研究助成金の申請書を作成し、そのなかで研究課題を明らかにし、その課題を解決することには資金を援助される価値があると主張してみよう。正式な文書を以下のような厳しい制約※のなかで書くことによって、言いたいことをしいて明瞭簡潔に表現するのだ。

- ダブルスペースで四〜六枚
- 余白は一インチ
- フォントはタイムズ・ニュー・ローマン、一二ポイント
- 提出期限は一週間後（提出先は自分自身のみ）

※ 日本語でおよそ三千〜五千字程度

自信をもって主張すること。アイディアの多くがまだ固まっていなくても、それを匂わせる必要はみじんもない。自分の問いを声に出して表明し、きみの持つ〈問題〉を宣言する時だ。たとえ少々時期尚早だと感じても、気にしてはいけない。

研究計画書は、次の四つの部分から構成しよう（研究計画書のサンプルはwhereresearchbegins.comにあるから、とっかかりの参考にしてほしい）。

1 **文脈的枠組み** 時間的・場所的な状況を手短に説明する。顔も知らない査読者の委員会に向けて書いているのだと想像しよう。きみはその人たちに会ったことがないし、きみのテーマについての専門知識のレベルもわからない。だから、前提となる知識と参照枠を説明し（簡潔に、しかし必要十分に）、きみの研究案に関わる事実を理解してもらい、その重要性を評価してもらえるようにしなくてはならない。

2 **目標と目的** アーカイブ化された一次資料を用いて、どんな問いに答えようとしているのかを述べる。問いは複数あってもよい、というより複数なくてはならないぐらいだ。ただし、それらの問いがひとつに「足し合わされ」ることで、全体として意味のある首尾一貫した問いのまとまりになり、具体的で研究可能で意味のある、ひとつの問いの探究に役立たなくてはならない。これは研究資金の調達のため、もしくは未来の研究のための計画書だから、プロジェクトの枠組みは、発展性のある問いを掲げた探索型研究として設定することが望ましい。このセクションでは同時に、この研究でどんな重要な知見が得られるか述べる（これは第2部で説明する）さいに、それを理解してもらうための基礎知識を読み手に与えることも必要だ。

意義　きみの選んだ研究分野における現在の知見に基づき、きみの提案する問いの意義を説明する。そのテーマについてすでにわかっていることから考えて、きみのプロジェクトによって有意義に理解が深まるとなぜ言えるのか。忘れてならないのは、これはすでに完了した研究ではなく未来の研究の提案なのだから、「期待される結果」に基づいて「意義」を主張することはできないということだ。つまり、きみの提案する問いについて、このような答えが予想されるから意義があると言うことはできない（初めから答えがわかっているような研究をするならべつだが）。適切に表現された、意味があって発展性のある問題――一次資料に基づく（そして二次資料に基づく）研究を通じて到達した――を取りあげているということが、きみの提案の意義でなくてはならないのだ。

4

プロジェクト計画　このプロジェクトを実施するために具体的にはどの一次資料を用いるつもりなのか、そしてそれはどこにあるのか。また、このプロジェクトが承認されて旅費が受け取れることになったら、どこでフィールドワークを行ない、どんなインタビューをし、どんな情報源にアクセスし、どのようなアーカイブを利用するつもりか、などなど（ここはできるだけ具体的に書くこと。たとえば、可能ならインタビュー相手やアーカイブの名前をあげるなど）。プロジェクトの目標を達成するための方法論を詳細に述べる。きみの問いに答えるためには、どのような文書やデータやその他の資料が必要か。それらの資料を理解または解釈するために、どのような分析的枠組みを利用するか。日程およびプロジェクトの中間目標のリストも含め、プロジェクトの物理的な実行計画を提示する。

よくある失敗

- この計画書を書かずにすますために、「もうちょっと調べてからね」という使い古された先延ばしの術を使う。その手は後のためにとっておこう。しかしとりあえずは、たった、いま、きみのいる地点から考えて書きはじめよう。

- 批判を恐れて守りを固めてしまう。読み手は当然質問したり突っ込んできたりするだろうから、それを想定するのはよいが、それはきみのプロジェクトの可能性に目を向けさせるためでなくてはならない。なにがわからないかではなく、なにがわかるかを伝えよう。いまはポジティブ・シンキングをする時だ。
- いかにも自信のなさそうな、言い訳じみた文章を書いてしまう。理想の研究の未来を思い描くなら、自信をもって語ろう。「〜したいと思う」ではなく「〜する」と書くのだ。

反響板――信頼できるメンターに研究計画書を読んでもらう
（ただしこれが予備的なものだと理解している人に）

自分の計画書を読み通してみよう。説得力があるだろうか。きみの目標や資料、方法、前提についてどんな質問がされそうだろうか。その質問を予想して、それに応じて書き直そう。それから（あくまでももしできたらの話だが）、信頼できる人にそれを見せて意見を聞こう。先に述べたとおりに、この演習の目標を説明しよう。この計画書は、このプロジェクトが興味深くて重要である理由を効果的に説明できているだろうか。これがきみの計画書だと知らなかったとしたら、きみのメンターは助成金を認めるだろうか。認めると思う理由、あるいは思わない理由は？　計画書のどの部分を改善した方がいいとメンターは思っているのか。口頭でも文書でもフィードバックは歓迎だが、できるものならじかに会って意見を聞く場を設けてもらおう。**メンターの助言を書き留め、同意できる助言に基づいて計画書を書き直そう**（これは第2部に進む前にすませておくこと）。

最後に、お礼のメッセージを送っておこう。

きみはプロジェクトのスタート地点に立った

これですべてが整った。自分の動機や関心を調べて明確にしたし、研究すべき問いを定め、それらの問いの根底にある問題を明らかにした。なぜそういう問題を抱えるに至ったのか、その源となる前提や思い込みを明らかにし、完全に把握するところまでもってきた。

それでもまだ不安が残るなら、その疑問に注目し、文章にして書いておこう。ただし、まだ下書きの段階だということを忘れないように。不確実な点があるのは当然のことだ。それどころか、研究が完了するまではすべてが不確実なものであり、研究者はつねに事実に合わせて方針転換ができるように柔軟な態度を保っていなくてはならない。もしこの段階で方向性に重大な疑念を感じた場合は、最も役に立ったと思う演習をもう一度やり直し、よくある失敗を犯していないか確認しよう。とはいえ心配することはない。第2部では、きみの〈問題〉を明確にし、評価・試験し、再考するためのさらに有用なテクニックを紹介する。まだ内省は終わっていないのだ。

とりあえず、これまでやってきたことを思い返してみよう。ここに来るまでに、この研究がきみにとってどれだけ重要か、その結果になぜ意味があると思われるのか、十分理解できているだろう。また、現実に即した演習もこなしてきた。一次資料について初期の評価を行なったし、自分の能力と限界について評価し、必要に応じて〈反響板〉から助言をもらい、自分の性格に最も適したプロジェクトの種類を選択した。研究計画書の下書きすら書いて、外向けの言葉で自分のプロジェクトを描き出した。そしてそのあいだずっとメモをとってきたのだ。

さあ、きみのプロジェクトに取りかかろう。

第2部

自分の枠を超える

テーマから問いへ、問いから問題へ、そして問題からプロジェクト（まだ萌芽の段階だが）のスタート地点へと進んでくるなかで、きみは研究の課題と草案を作り上げてきた。自分の思い込みを可視化した。きみがなぜその問題を研究したいか、その根底の理由も明らかにした。また現実を直視して、単なる脳みそとしてでなくひとりの人間としてのきみに、そのプロジェクトが適しているかどうか評価した。そしてそのあいだずっと、たんに頭のなかで考えをめぐらすだけでなく、その考えを書き出してきたし、さらに研究プロジェクトの開発に向けてもう歩きはじめている。一番むずかしい部分は終わったと言ってよいかもしれない。

　きみのプロジェクトはきみにとって重要だ。しかし、それは世界にとっても重要だろうか。

　次の大きな目標——**自分自身の枠外に出る**——をクリアするには、この質問に答えることが必要だ。

　きみは熱心に努力して、自分自身を掘り下げてきた。きみの研究を前進させる問いや問題を知り、自分の先入観や能力や限界を把握してきたのだ。しかしこれからは自分自身の枠を大胆に乗り越え、それらの問いや問題のすべてを、他の人々にも理解できるような形に翻訳しなくてはならない。それがうまくできれば、「きみの〈問題〉」

は「かれらの〈問題〉」ともなる。この第2部では、そのためのテクニックをいくつか紹介する。これをしっかり身につければ、他の人々もきみの問いにきみと同じように心を悩ませるようになるだろう――きみの情熱がかれらの情熱になるのだ。

きみは首をひねっているかもしれない。せっかくあんなに時間をかけて自分自身を掘り下げてきたのに、どうしていまになって自分の「枠外に出」なくてはならないというのか。やっと本当にやりたいことが見つかったのに、どうしてそれを捨てなくてはならないのだろうか。

その答えは、なにも捨てることにはならない、である。「自分自身の枠外に出る」というのは、内省を通じて気づいたことすべてに背を向けるという意味ではない。とんでもない。内省の作業は今後も続けていくのだが、これからは他者の考えという相対的な視点も取り入れるのだ。自分自身の枠外に出るというのは、今までの狭い自己理解からより広範な理解へ移行するということだ。

これからの探求と発見と累積のプロセスは、他者との関与に基づいている。新しい語彙と文法を学ぶのだ。語彙が異なっているときでも、文法には共通点があることにも気がつくだろう。自分を見失うどころか、自分の考えを他者のそれと相対化して眺めることは、自分自身について**さらに多くを学ぶ**のに役立つ。なんにせよ、第二、第三外国語を学んだからといって、母国語を忘れるわけではないはずだ。

自分自身の枠外に出るのには、もうひとつ完全に現実的な理由がある。たとえ研究の大半をひとりでやっているとしても、私たちはひとりきりの研究コミュニティに住んでいるわけではない。自分で気づいているかどうかにかかわらず、研究プロジェクトを立ち上げた時点で、多数の現在進行中の会話に加わることになるのだ。特定の種類の問題に対する共通の関心によってつながる会話もあれば、その問題を解決するためのアプローチによってつながるものも、特定の知識分野との交わりによってつながる会話もある。どんな研究であれ、新たな研究を生み出すとき、私たちは先人や同僚のアイディアに頼っているのだ。

きみが加わるとくに重要な会話に、きみと同じテーマで研究している大きな研究者のコミュニティ、つまり一般に「分野」と呼ばれるコミュニティとの会話がある。たとえばクリスは、文学という分野――もっと具体的に言うと現代中国文学だ――で博士号を取得し、その後映画学にも研究と指導の手を広げている。トムの分野は歴史、それも現代中国史およびテクノロジー史だ。第5章では、きみの〈分野〉をどう渡っていくか、および分野という概念じたいをどう再考していくかについて述べる。しかし、私たちがそれぞれの分野の外にあえて足を踏み出すことがなかったら、この本が書かれることはなかっただろう。

きみはまた、別種のコミュニティとの会話にも加わることになる――が、それには研究法についての考えかたを大きく転換する必要がある。そのコミュニティとは、きみと同じ問題に取り組んでいる研究者たちのことだ。〈自分中心研究〉法の中心にあるのは問題であってテーマではないので、第2部の冒頭にあたる第4章では、〈問題集団〉という概念についてまず紹介する。

第2部の最大の目標は、他者の課題や問いが自分自身のそれとどのように交わるか認識し、その関係を最大限に利用することだ。研究は独白ではなく、きみの研究者としてのアイデンティティは固定的なものではない。きみは自分の〈分野〉を渡っていかねばならず（〈分野〉を変えたり追加することもある）、そしてそれにはさまざまな〈問題集団〉との相互作用が必要になる。そのためには、フットワークの軽さと視野の広さを保たなくてはならない。とはいえ、他者の考えと関わっていくうえで重要なのは、自分中心という感覚をつねに忘れないことだ。

第2部では、他者のアイディアとより広くより深く関わるという段階に進んでいく。この段階では、説得力と批判精神をもって考える人々をきみは探し求めることになる。ふたたび自分のアイディアや思い込みや理論についてストレステストをすることになるが、今回は他者のアイディアや思い込みや理論を用いてテストする。きみは他人のアイディアを採用し、最終的には他の人々がきみのアイディアを採用するのを助けることになるだろう。

どれもこれも、変化を受け入れなければできないことだ。確立された権威に直面して自信を失ったり、他者の課題をきみの課題として押し付けられたりすることなく、最良の方法や共通の目標、新しいデータや発見を探し求めるという、綱渡りのような困難な作業が待っている。そうすることで、きみは自信と自意識を保ちつつ他の人々の意見に耳を傾け、それに興味を持つという態度を身につけていくことになる。それは胸の躍るような経験だ。

さあ、自分の枠を乗り越える用意をしよう。

第4章

きみの〈問題集団〉の見つけかた

問題を共有する研究者を見つける

きみの〈問題〉を気にかけているのはきみひとりではない。ほかにも気に病んでいる人々がいる。きみと同じ実存的な苛立ちに駆られて、まさにこの瞬間にも自分自身の問いを立て、資料を集め、関連する事例を特定し、自分のプロジェクトを組み立てつつある人が他にもいるのだ。かれらは歴史学者を名乗っているかもしれないし、哲学者や考古学者、経済学者、人類学者、パフォーマンス学者、古典学者、文学者、あるいは芸術家を名乗っているかもしれない。一八〇〇年代について研究しているかもしれないし、古代世界を研究しているかもしれない。居住地もボゴタかもしれないし、ボルチモアやベイルートかもしれない。

すでに亡くなっている人もいる。きみが自分の〈問題〉と呼んでいるものは、ずっと以前にその人々の〈問題〉だったのだ。きみはかれらから学ぶべきことがある。そしてまだ生きている人、あるいはこれから生まれる人々は、きみから学ぶべきことがある。かれらがだれで、今どこにいようと、きみはかれらを探し出さなくてはならない。だがどうやって?
図書館や書店が、テーマ別でなく問題別で本を分類していれば、その棚には「時事問題」「児童書」「歴史」のようなラベルは貼られていないだろう。ジャンルに関係なく、一群の著者によって共有されている根本的な問題に応じて分類されているはずだ。
想像してみよう。きみは書店のドアを開ける。

きみ:すみません。自己表現には自社の製品の消費が必要だという虚構を売ることによって経済的利益を追求する組織が蔓延する世界において本物の自己表現が可能かと問う著者の棚はどこですか。
書店員:左奥の通路です。欺瞞という一見普遍的な概念をヨーロッパ中心主義に準ずる解釈マトリックスでなく特定文化に基づく解釈マトリックスを通じて検証することは可能かと問う著者の棚のすぐ横ですよ。
きみ:どうも。

だれでも知っているように、書店の棚はこんなふうには分類されていない。それは図書館でも、大学の学部でも、政府機関でも企業でも、博物館でも同じことだ。多大な努力を費やして、テーマを離れて問題や問いの世界に移動してきたのに、気の滅入る真実にたどり着いただけだったというわけだ——この世は全体に、まあ想像はつくと思うが、テーマによって分類されている。おぞましく聞こえるだろうが、きみは振り出しに、曖昧であまりにもおなじみの世界に戻ってきてしまった。

そう、テーマの国だ。

どうしたらよいのだろう。自分がなにを気にかけているのか、いまきみははっきり認識しているのに、きみを取り巻くあらゆる事物が、それを分類する主流の論理が、問題とは直接関係のない十把ひとからげの「テーマ」にきみを引き戻そうとする。このテーマ中心の世界で、きみの〈問題〉を共有する研究者のコミュニティをどうやって見つけたらよいのか。**どうやってきみの〈問題集団〉を見つければよいのだろう。**

〈問題集団〉とは、問題を中心として形成されるさまざまな知的なつながりや協力関係——研究を進めるうちに見つかったり作りあげたりしていくもの——を想定した概念だ。

ここで集団とは、関心または活動を共有する個人の集まりを言う。したがって〈問題集団〉とは、想像はつくと思うが、協力してであろうと単独でであろうと、同じ研究上の問題を解決しようと努力する個人の集まりのことである。ギャングと呼んでも部族と呼んでもあるいはコミュニティと呼んでも構わない。なにたとえようとそれは重要ではない。重要なのは、この集団が個人によって構成されているのを認めることだ。ひとりひとりが独自に「中心」を持っていて、集団のメンバーは分散していて中央集権的ではない。それがあまりに徹底しているので、メンバーは互いの存在に気がついていないことさえある。この集団は、ひとつの教義を奉ずる思想的派閥ではない。民兵でもカルトでもない。

〈問題集団〉は、専門、学科、分野などの別名ではない。歴史学や政治学といった分野には、さまざまな〈問題集団〉のメンバーが所属している（これについては第5章で見る）が、これらの分野は〈問題集団〉そのものではない。分野や学科のメンバーは多くの物事を共有しているものの、分野や学科じたいは共有される問題によって分けられているわけではない。きみの〈問題集団〉を見つけることには大きな利点がある。それは、学科というタコツボから、また専門家としてのアイデンティティから、そして研究課題は自分の〈専門分野〉の範囲に収まっていなくてはならないと思い込む、反射的な保守主義から解放されるということだ。

〈問題集団〉というコミュニティのメンバーは、経歴や専門分野にかかわらず、共通の根深い問題に自分が駆り立てられているのを知っている。その問題はふつう、単一の時代や場所に限定されるものではない。喪失、自由、平等、意味に関連する問題に関心があるなら、その問題が顔を出すさまざまな事例に気がつき、研究しようとするだろう。また、哲学書を書いたり子供向けの飛び出す絵本を書いたりもするかもしれない。その〈問題〉が普遍的なテーマに関わっている場合はとくに、どんな気質や世界観、政治思想、職業であってもそれに心を悩ます人はいるものだ。

〈問題集団〉の規模はさまざまだ。きみの〈分野〉のメンバー（もちろんきみも含めて）だけでなく、おそらくその他多くの分野のメンバーも含まれているだろう（分野については次章でくわしく見ていく）。きみの〈問題集団〉のメンバーは広範囲に散らばっている可能性もあるし、目印のバッジをつけていることもまずないから、探し出すのは途方もなくむずかしいように思えるだろう。そこをなんとかするための戦略を本章ではいくつか紹介していこう。

それはそうと、なぜわざわざ苦労してそんな集団を探すのか。ひとりで研究していてなにがいけないのか。あるいは自分の〈分野〉の仲間とだけつきあっていてもいいではないか。

きみの〈問題集団〉を見つけることができれば、次のようなよいことがある。

- それまで考えもしなかった問いを教えてもらえる。
- それまで知らなかった語彙を知ることができる。
- 存在すら知らなかった見かたや視点を教えてもらえる。
- 新たなテクニックを学ぶことができる。

- 承認されたという感覚、仲間がいるという感覚を得られる。

〈問題集団〉は、それまでこんなことを気にするのは自分だけかと思っていた問題について、その研究に没頭するのはまちがったことではないと思い出させてくれる。

それだけではなく、きみの集団を見つけられれば、分野とか学科にしばられずに、自信を持って迷いなく探求の道を進むことさえできるようになる。現在と過去とを問わず、また生死をも問わず、同じ問題に頭を悩ませた研究者たちと交わることができ、すぐれた先達による仕事に自分も関わってよいのだと自信を強めることができる。要するに、きみと興味関心を共有する、あるいは共有していた人々と話ができるということだ。

〈問題集団〉はまた、きみのやる気をかきたててくれる。そういう先達の仕事を研究する真の目的は、たんに卒業試験でよい点を取るためではなく、また学識があるふりをするためでも、なんとなく賢くなった気がしたいからでもない。ひょっとしたら、ほんとうにひょっとしたらだが、そういうすぐれた頭脳のひとりが、きみの〈問題〉を解く鍵の一部を握っているかもしれないからなのだ。〈問題集団〉は、きみにそれを気づかせてくれる。

はたと気づいてみれば、有名な傑出した頭脳に怖気づく理由はなくなっている。きみはまた、理論や方法論について考えることを「学者ぶっている」と軽蔑する人々の偏見にも左右されなくなる――なにしろ、「精神生活」について「実生活」とは無関係なものであるかのように語る人たちなのだ。きみはいまでは、そんな人為的な区別立てに意味はないと知っている。なぜなら問題は、そしてそれを解決しようとすることは、きみ自身と同じくらい現実の一部だとわかっているからだ。

　だがこれは正直に認めよう――きみの数多くの問いの深層に隠れている問題を把握し、それからきみの〈問題集団〉のメンバーを見つけるにはかなり時間がかかることがある。何か月も、何年もかかることすらある。しかも、「文献」にはすばらしいアイディアやそそられる課題がすでにあふれているから、どうしてもそこに没頭して自分を見失ってしまいやすい。しかし、本章で紹介するテクニックを使えば、他の研究者の業績を調べるのにどんなに時間を使っていても、自分の〈問題〉を決して手放さずにいられるはずだ。

　きみの〈問題集団〉のメンバーを見つけるためには、まず、研究者が直面するとくに厄介な問題のひとつに取り組まなくてはならない。それはつまり、**「私の〈問題〉は世間でなんと呼ばれているのか」**ということだ。

やってみよう――変数をひとつ入れ替える

目標

問題とその問題の具体的事例とを区別する。研究すべき問いのどの要素がその問いの「必須成分」で、したがってきみが解決しようとしている深層の問題を最もよく示しているのか特定する。これができれば、きみの〈問題〉を共有する他の研究を見つけやすくなるだろう。

偶然の発見を必然に変えるのは無理としても、そういう発見が早く起こるように確率を高める方法はないものだろうか。

その答えは「ある」だ。

この演習では、きみが抱えている問題と、その問題の事例（複数の場合もある）とを区別する方法を学ぶ。この区別ができるようになれば、他の人々の研究にきみの〈問題〉が出てきたとき気がつきやすくなる。きみの〈問題集団〉のメンバーではあるが、きみの〈分野〉には属しておらず、きみの〈問題〉の事例を取りあげていても表面的にはまったく無関係に見える——そういう人たちの研究の場合にはとくに役に立つ。

まずは、きみの問いをできるだけ具体的に書き出すことから始めよう。現在それがどんな形で表現されていてもこれは同じだ。それぞれの問いには、以下の変数をできるだけ多く含めることが望ましい。

- 時
- 場所
- 行為者／主体
- 対象
- 仮説

以下に仮の例をあげよう。

黒豹党〔解放運動の組織。一九六六年結成〕が一九七〇年代に北米の大衆文化に影響を与えたとすれ

ば、それはどのような影響か。そしてそのことから、当時の大衆文化について
どんなことがわかるか。

これはおおむね、実質のある問いと言える（いまのところ、先に述べた「影響」という曖昧な言葉に依存してはいるが）。なぜなら、先にあげたすべての変数について具体的なデータが含まれているからだ。

- 時——一九七〇年代
- 場所——北米
- 行為者／主体——黒豹党
- 対象——（北米の）大衆文化
- 仮説——当該時期に主体は対象に対しいくつかの文化的影響を与えたが、どれが最も重要だったか。

しかしその一方で、この問いの発生源になったのはどんな問題なのか、そしてそれゆえにこの研究者が発見して役に立つ〈問題集団〉はどんな集団なのか、そこのとこ

ろはかならずしも明らかではない。これは容易に想像がつくだろうが、こういう問いを立てるのは地域社会活動家、比較文学研究者、あるいはメディア研究者だろう。この場合、問いの深層にある「問題」に関係している可能性が高いのは、メディアや人種に関する問い、あるいは芸術や文化における「大衆」と「高級」との区別に関する問いだろう。真の問題がなにかということによって、さまざまな研究者コミュニティが〈問題集団〉となる可能性がある。

最初にこのように定式化しておいて、問いを系統立てて変化させる、つまり一度にひとつずつ変数を入れ替えるというテクニックを利用する。それをしながら、変数が替わるごとに自分自身の知的・感情的な反応をじっくり観察し、その問題に対する興味や関心が強まるか、弱まるか、あるいは変わらないかを見るわけだ。

まずは場所の変数を替えてみよう。

黒豹党が一九七〇年代に南アフリカの大衆文化に影響を与えたとすれば、それはどのような影響か。そしてそのことから、当時の南アフリカの大衆文化についてどんなことがわかるか。

この変数が替わったとき、きみのなかでなにか変化があっただろうか。次の例ではどうか。

黒豹党が一九七〇年代にヨーロッパの大衆文化に影響を与えたとすれば、それはどのような影響か。そしてそのことから、当時のヨーロッパの大衆文化についてどんなことがわかるか。

今度はどうだったかな。では次の例も見てみよう。

黒豹党が一九七〇年代にソビエトの大衆文化に影響を与えたとすれば、それはどのような影響か。そしてそのことから、当時のソビエトの大衆文化についてどんなことがわかるか。

この変数を替えたとき、きみのなかでなにか変化があっただろうか。この問いを聞いて湧きあがる興奮は消えてなくなったか、それとも増大しただろうか。それとも同じぐらいで変わらないままだっただろうか。そして次に来るのが最も重要な質問だ。

それはなぜだろうか。なぜ、たとえば北米における黒豹党の歴史はきみに対して強烈な吸引力を発揮するのに、ソビエト連邦やヨーロッパや南アフリカだと同じ問いでもなにも感じなくなってしまうのだろう。このことから、きみの関心は黒豹党そのものというより、北米のなにかに大きく関わっているものと考えられる。もしそうだとすれば、自分の真の問いについてまだ明らかにしていない側面があるのではないか。きみの問いには欠けている部分があるのではないか——つまり、真の興味関心を正直に表現するためには、まだ付け加えるべきものがあるのではないだろうか（注意：これらの質問に対する答えはすべて、研究の方向性を定めるのに役立つ「自分証拠」になる）。

では場所の変数を最初の設定に戻して、今度は対象の変数を替えてみよう。

黒豹党が一九七〇年代に北米のフェミニスト運動に影響を与えたとすれば、それはどのような影響か。そしてそのことから、当時のフェミニスト運動についてどんなことがわかるか。

なにか変化があったかな。次はどうだろう。

黒豹党が一九七〇年代に北米の映画に影響を与えたとすれば、それはどのような影響か。そしてそのことから、当時の映画についてどんなことがわかるか。

今度はどうだったかな。次はこう変えてみよう。

黒豹党が一九七〇年代に北米の銃規制に対する考えかたに影響を与えたとすれば、それはどのような影響か。そしてそのことから、当時の銃規制論議についてどんなことがわかるか。

ひとつ変数を入れ替えるたびに（かならず一度にひとつずつ替えること）、つねに同じ手順をくりかえす。自分にこう問いかけよう——増えた、減った、同じ、そしてその理由は？

言うまでもないが、変数の候補を考えるときは常識を働かせよう。黒豹党の設立は一九六六年だから、一九五〇年代に北米の大衆文化にどんな影響を与えたかと問うても意味がない。変数を替えても、ちゃんと意味のある問いが成立していなくてはいけない。馬鹿げているとか、成り立たないと思える場合は飛ばそう。変数のなかには取り替えのきかないものもあるのだ。しかし、黒人の政治運動が一九五〇年代に北アメリカの大衆文化に影響を与えていたかどうか気になってきたとしたら、黒豹党に絞って問いを立てるのでなく、それに先行する団体を取りあげるべきだろう。

変数をひとつ替えるたびに、自分に次のように問いかけよう。

- 関心は増えたか減ったか。
- 失われたもの、あるいは得たものがあるか。
- あえて問うなら、なぜ変化があったのか（あるいはなかったのか）。
- これ以上に正直で漏れのない問いの立てかたはないだろうか。この問いはこれで完全なのか、変数が不足していないか。

「入れ替えた変数」の横に、きみの心中でなにが起こったかわかるようにメモを書き留めておこう。ほんの数語でもいいし、長文を書いてもいい。好きなように書こう。いずれにしても、変数を替えるたびにきみの関心がどう変わったかかならず記録しておくこと。

毎度のことだが、自分に嘘をついてはいけない。ある変数を替えたらどうでもよくなったとか、物足りなくなったとか気がついたら、興味がないのにあるふりをしてはいけない。スペインでの男女差別の歴史には興味があるが、カナダの男女差別の歴史には興味がないとしたら、そういう方向で研究を進めればよいだけだ。

あるいは逆に、スペインでもカナダでも男女差別問題に興味がある（というより血がたぎる）ということもあるだろう。その場合、きみの〈問題〉では地域に大きな意味はない可能性が高いから、多くの事例から研究対象を選ぶことができるかもしれない。

たとえば、きみの最初の問いでは、第二次世界大戦後のシアトルにおける児童虐待の歴史が中心的問題になっていたとしよう。ところが、児童虐待という変数を高齢者虐待に変更したとたん、きみの関心は雲散霧消してしまった。どこかおかしいのではないか。私は善人ではないのだろうか。それは違う。こういう場合に正直に認めるのは気まずいし、苦痛すら感じるかもしれないが、ここは自分自身に（そして〈反響板〉にも）認めなくてはならない――人間として、また世界市民としてはべつだが、研究者として自分の〈問題〉を見極めようとしているきみは、高齢者虐待に関心がないのだ。理由はどうあれ、つねにきみの頭を離れないのは、ある特殊な、特定の問題だけということであり、そして**それを気にする必要はまったくない**。だからこの自分証拠を書き留めて、次の変数を替える作業に進もう。

対照的に、児童虐待の歴史にも高齢者虐待の歴史にも同じように関心があるとわかったとすれば、これは大きな手がかりであり、きみの主たる関心は人生の特定の段階（幼少期、成人期など）には関わりがなく、おそらくは一般に弱者と見なされる人々または集団の経験することにあるのかもしれない。

その可能性を調べるために、必要ならば新しい変数を作り、すでにある他の変数とともに修正した問いに挿入するか、あるいはすでにある変数と置き換えるとよい。もしも「人生の段階」という変数（児童、高齢者など）が無関係という可能性が出てきたら、「生活水準」あるいは「安定度」（脆弱、安定、強固）のような変数を用いて、さまざまな組み合わせを試してみよう。

たとえば中年で、健康体で、その国の多数民族集団に属している人に対する虐待の事例にも、児童虐待もしくは高齢者虐待の歴史を研究するのと同じくらい関心が持てるだろうか。もし持てないとすれば、「弱者」はきみにとってたんに「関心がある」のではなく、研究したい問題の中核にあるという可能性が濃厚と見ていいのではないだろうか。言い換えれば、問いのなかにそれが出てこなければ、きみはその問いに満足できないし、取り組む気も起こらないということだ。

変数を替えたり、新しい変数を追加していじってみたりして、問いをあれこれ変形してみたら、まとめとして変数のすべてを次のふたつのカテゴリーに分類しよう。いつものとおり、書き残すのを忘れないこと。

- **交換または代替可能な変数。**入れ替えても興味関心の程度に影響がない変数。たとえば場所や時、あるいは特定の行為者などは交換可能かもしれない。
- **交換不可の変数。**テーマに（表面的には）変わりがないように見えても、これを替えると興味関心が完全に消え失せてしまう変数。これらの変数はなくてはならないのだ。

ここでついに、自分証拠を生み出す重要な段階、内省の決定的瞬間がやってきた。きみはこの演習を通じて、そのための準備を文字に残しつつ整えてきたのだ。自分に次のように問いかけてみよう。

- 代替可能な変数と代替不能な変数のリストを見比べたとき、なにが私の真の〈問題〉のように思えるだろうか。

- こちらの変数は入れ替えても気にならないのに、こちらは絶対に替えてはいけないという気がするのはなぜだろう。
- 「代替不能」の変数が複数残っている場合、どれが最も重要か。
- どれが問題で、どれがその問題の事例か。言い換えれば、XはYの事例か、それともYがXの事例なのか。
- 私の問いは、最初に立てた形のままでも私の〈問題〉をほんとうにとらえているか、それとも〈問題〉の事例にすぎないか。
- 仮に後者だとすれば、この問いを言い換えることで、前と同じく具体的でありながら、私の研究の中核的な課題をより正確に表現することができるか。

すぐに答えを出せというわけではないから、気楽に取り組んでみよう。これでただちにきみの〈問題〉が見つかるとはいかないかもしれない。心の奥底に埋もれたものを掘り出すというのは、無理強いしてできることではない。しかしこの演習をすることで、第2章でやった問いから問題に迫る作業をさらに進めることになり、問題がいっそう明確になっていくだろう。

ここで大事なのは、**問いのなかでどの変数が最も重要なのか評価する習慣を身につ**

けることだ。この習慣が身につけば、無意識のうちに脳がきみに加勢しはじめる。この「変数をひとつ入れ替える」演習を初めてやったあとも、きみの心はずっと勝手に変数を取り替えつづける——歯を磨いているあいだも、学校や職場に向かって歩いているときも、それどころか眠っているあいだも。気づいてみれば、以前よりずっと短期間に、またずっとはっきりと、欲しい答えが見つかるようになっているだろう。

　この探究の次のステップは、外側に目を向けて、他者の研究にきみの〈問題〉が出てこないか探すことだ。問題とその問題の事例とを区別できるようになれば、他の分野でも同類を見つけられるようになる。たとえばきみの〈問題〉で地域は重要でないと気がついたら、検索範囲を広げて他の地域での研究に目を向ければいい。時代や学科その他についても同じことだ。自分の〈問題集団〉を見つけようというときに、いわば書店のただひとつのコーナーしか見ていない人が多すぎる。キーワード検索やカテゴリー検索を活用して、きみの〈問題集団〉のメンバーを探し出そう。そして同じ〈問題集団〉のメンバーが見つかったら、その人たちの参考文献に目を通そう。きっと新たな手がかりが見つかるはずだ。

よくある失敗

- 変数の幅があまりに小さすぎたり、あまりによく似た変数を選んだりしすぎて、その変数が自分の関心に及ぼす影響を適切に調べることができない。
- どの変数が代替可能（入れ替えても、最初の問いと同じかあるいはそれ以上に興味がそそられる）で、どれが代替不能（その問いに対する関心が、その変数を替えることで減少または消失する）か評価するというステップを飛ばす。
- ありえないとか理屈に合わないとか（たとえば時代が違うなど）、あるいは事実と違うので成り立たないような変数を代入してしまう。
- どの変数が代替可能でどれが代替不能かという評価を書き留めない。
- 問題か事例かという区別を自分の研究のみに応用し、他分野の〈問題集団〉のメンバーを見つけるのに使おうとしない。

やってみよう——前とあとのゲーム

目標

あるテーマのなかで最も興味深いと思う問題を特定するため、大きな問題重視の枠組みにおいて研究プロジェクトを思い描いてみる。そのうえで、その枠組みに参加している〈問題集団〉のメンバーを見つける。

〈問題〉と〈問題集団〉を発見しやすくする方法がもうひとつあって、それを私たちは「前とあとのゲーム」と呼んでいる。

いまきみが取り組んでいる研究——実際の長さや範囲はここでは問わない——が、ある本のひとつの章だと想像してみよう。その前の章にはなにが書かれているだろうか。あとの章はどうか。そしてその本のタイトルはなにになるだろうか。

このゲームが実際にはどんなふうに行なわれるか、ほんとうにあった例を見てみよう。

トムの現代中国史の講義を受けている学生が、ある日の午後、中国の義和団の乱に関する興味深い資料が見つかったと言って文書保管所から戻ってきた。義和団の乱は二〇世紀初めに中国で起こった複雑な激動の事件で、何十年も前から歴史研究者はこの事件に惹きつけられてきた。よく言うように、学生が見つけてきたのは文字どおり「みずから語る」資料で、中国で暮らしていた外国人宣教師の一家の悲惨な体験を綴ったものだった。一家は動乱から逃げ、さまざまな場所に身を隠し、最後には家族のメンバーをひとり——それも幼い子供をなくしている。

「ほんとうに面白い論文がこれで書けそうな気がします」学生はトムに言った。

当然のことながら、学生とトムとの会話では中国史に関連する語句がポンポン飛び出してきた。ところが話せば話すほど、それ以外の語句がこぼれ出てくる。同じ一次資料に基づく言葉ではあるが、学生の興味や問いが義和団の乱じたいには関係ない、それどころか中国にすら関係ないことを匂わせる——たとえば「隠れる」「避難する」「逃げる」、そして「緊急時の情報の流布」といった語句だ。

トムは、「前とあとのゲーム」をやってみようと学生を誘った。最初に試したのは、だれでもすぐ思いつく可能性だった。学生がいま書いているのは、義和団の乱それ自体に関する本だろうと想定したわけだ。もしそうだと仮定すれば、いま書いている章は「宣教師たちに関する章」ということになるだろう。したがってその前後の章は、たとえば「義和団の乱のさいの中国人労働者」とか、「義和団の乱のさいの外国人外交官」になるのではないだろうか。それがきみの考えていることかな、とトムは学生に尋ねた。この本の章題について私が話すのを聞いて、きみは面白そうだと思った？ それともそうでもなかった？ 興味をそそられたのか、それともつまらないと思ったのかな。

つまらないです、学生はためらうことなく答えた。これは学生がやりたいと思う主要な問題ではなかったようだ。

ふたりはあらためてやり直すことにした。本のタイトルが『中国で隠れる——ある文化史』だったらどうだろう、とトムは推測した。ひょっとして、前後の章は義和団の乱にはまったく関係がなくて、現代中国史におけるその他の危機や避難や逃亡の事例になるんじゃないかな。前の章はたとえば「太平天国軍の戦士から隠れる」みたいなタイトルで、太平天国の乱（中国の一九世紀なかばの内乱）のさいの避難や逃亡の事例を取り上げたものになったりするかもね。それで次の章は「朝鮮半島で隠れる——日清戦争（一八九四－一八九五）の戦争難民」とか。

さっきよりはちょっと面白そうです、と学生は答えたものの、やはりためらいがちだった。

本のタイトルに「中国」の文字がいっさい出てこなかったらどうだろう。隠れることに関する文化史の本で、戦争や内乱の時代を取りあげてはいるけど、アジアにしろその他の地域にしろ、特定の地域に限定するものじゃなかったら？　この架空の本では、次の章の舞台はボーア戦争時代の南アフリカとか、そういう場所だったりするかもね。

そうですね！　たちまち学生の顔に輝きが戻ってきた。だんだん学生の問題に近づいてきているしるしだ。

この〈前とあとのゲーム〉で重要なのは、きみの〈問題〉を〈反響板〉の助言に「合わせる」ことではない――そんなことをしたら致命的だ。あちらの意見をそのまま「丸呑み」してはいけない。どんなによかれと思って言ってくれていてもだ。またこの演習の目標は、研究プロジェクトを大幅に拡大して、大量の複雑な事例研究を取り入れることでもない。

そうではなくて、目標はある思考回路のスイッチを入れて、複数の視点から、また複数の次元で、自分の問いの検証および再検証に着手するということだ。メンターや〈反響板〉と話をしなくてもこのゲームをひとりでできるようになったら、独自にブレインストーミングを監督する能力が身につき、何度でもこれを繰り返して架空の目次や本のタイトルを次々に生み出すことができるようになる。そうするうちに、やがて「引っかかる」アイディアが生まれて、自分が**ほんとうはなにを求めていたのか**理解できるようになるのだ。

さあ、今度はきみの番だ。以下のステップに従ってやってみよう。

1 きみの研究が、きみの〈問題〉を取りあげた学術書中の一章になると想定する。

2 きみの研究をできるだけ端的に要約して一文で表現する。それを書き留め、「いま書いている章」——きみが実際に取り組んでいるプロジェクト——の仮のタイトルとする。

3 次に、きみの〈問題〉を掘り下げて本を一冊書くとしたら、論理的に言ってその研究がどういうふうに進むか想像する。きみの章の前後の章はどんなタイトルになるだろうか。それぞれの章のタイトルを書き留めておく。さらに進めたければ、この架空の本の他の章ではなにを扱うことになるか考える。

4 その本に、魅力的で内容のわかるタイトルをつける。

5 ここで少なくともあとふたつ（できればそれ以上）、べつの筋立てをひねり出す。

表8　**前とあとのゲーム**

本のタイトル： ______________________

前の章： ______________________

現在の章： ______________________

次の章： ______________________

興奮度： ______________________ （低い / 普通 / 高い）

その反応の理由 ______________________

ここでは、この架空の本に対してきみがそういうふうに反応した
理由や経緯を、必要なだけのスペースをとって評価・表現・推測して書き込もう

1〜4のステップを繰り返し、いまの章、前の章、次の章、そして本全体のタイトルを考える。

6　架空の本一冊一冊について、表8に示すような表を作成する。

数週間の講義のまとめとしてレポートを書くときでも、あるいは卒業論文や本を一冊書くなどの大きなプロジェクトに取り組んでいるときでも、この演習はきみの役に立つだろう。なぜなら、ひとつのテーマという広大な世界のなかで、自分がどう進むべきかじっくり考えさせられることになり、それできみの〈問題〉をしっかり踏まえたアプローチが取れるようになるからだ。

いつものように、新たな筋立てを考え出すごとに、それに対する自分の反応を注意深く観察し、考えた

ことを文字にして書き残しておくこと。例の心電計を取り出して、また自分に取り付けよう。これらの架空の本のうち、ほかよりぐっとくるものがあるだろうか。あるとしたらなぜだと思うか。理由はともかくとして、「だれでも考えつく」本のタイトルのなかに、どうも食指の動かないものがあるだろうか。あるとしたらそれはなぜか。きみの研究プロジェクトを要約した一文、つまり他者と自分自身に対して説明している文章を、この結果に基づいて改善または修正するとしたらどう直すか。

　これらの質問に答えることで、例によってきみの〈問題〉に近づくことができるわけだが、しかしそれだけではなく、いま検討中の研究プロジェクトが他の研究者たちとの「会話」とどのように交わることになるか、問題中心の視点から想定するのに役立つ。戦時中の逃げ隠れの文化史の例では、一次資料に出てくる事例は中国に関連していたが、学生の問題はそうではなく、そこから多くの可能性が開けてきた。〈前とあとのゲーム〉の結果を用いて、きみの〈分野〉以外のどこで〈問題集団〉のメンバーが見つかりそうか考えよう。それを書き留めてから、いざ検索に取りかかるのだ。

よくある失敗

- きみのメンターが提案したプロジェクト案や、テーマに関連しているから「当然の」選択だと思えるような案について、これでよさそうな気がすると自分に言い聞かせてしまう。示唆や提案の誘惑に乗らず、自分の直感を信じよう。自分がためらっているのを感じたら、そこにちゃんと目を留めること。

● 興味が持てないとか退屈だという直感的な感覚を無視してしまったり、どうして気が進まないのかきちんと時間をかけて考えようとしない。好きになれないという感情は頼りになるものだ。

● この演習でいろいろ想像したせいで、現実的に達成できる範囲をはるかに超えた大規模プロジェクトが必要だと感じてしまう。ここでの目標は、きみが興奮できる問題を正確に把握し、それによって〈問題集団〉のメンバーを見つけることなのだ。何度も言うが、まず書いて、検索して、また書くこと!

やってみよう――きみの集団を探す（二次資料検索）

目標　きみの〈問題集団〉による二次資料を用いて、さらに多くの〈問題集団〉の資料を見つける。

「変数をひとつ入れ替える」と「前とあとのゲーム」の演習を済ませて、いよいよきみの〈集団〉を積極的に探す段階がやって来た。「変数をひとつ入れ替える」において、問いのどの変数が副次的で代替可能であり、どれが絶対に必要にして代替不可能であるか明らかになった。また同様に、いまの形のままでもその問いをぜひ追求したいと感じているとしても、同じようにきみにとってそそられる変数はほかにもある――それを研究することはないかもしれないが――ことも、やはり演習を通じて明らかになった。そしてそこからわかるように、きみの問題の範囲は、いまの問いが示しているよりもっと広いという可能性がある。

さて次は、新たなキーワード検索を実行することによって、この苦労して得た自己認識を活用するときだ。ただ、今回は二次資料の検索である。きみの問いがシアトルにおける児童虐待の歴史（先の例を使うなら）を扱ったものだとして、それでいて、たとえばトロントやトルコやテルアビブにおける同様の研究にも同じように関心があるとすれば、ほかの地域で行なわれた研究を探してみよう。その研究を読んで、読みながら自分がどう感じるか観察する。参考になると感じただろうか。きみの心電計の数字ははねあがったかな？

また、「変数をひとつ入れ替える」演習によって、高齢者虐待の研究をしている未来もありだと思うなら、そのテーマに関する検索も実行するとよい。その種の書籍、論文、ドキュメンタリー、美術作品などなどを手に取ってみよう。それらの資料を読んでみてどうだった？

本書で最初にやった演習——「自分自身を検索する」——のときと同じく、ここでの目的はふたつある。

1 〈問題集団〉の書籍や論文を読んで、その内容を理解し、メモをとる。

2 〈問題集団〉の資料を読みながら**自分で自分を観察し**、それが自分にどんな影響を及ぼすか（もし影響があれば）調べる。

なんの影響も受けなかった場合は、その研究がどんなに興味深くても、その著者はきみの〈問題集団〉に属していないのではないかと判断する手がかりになる。しかし、胸がどきどきするのを感じ、頭のなかに新たな問いが渦巻くのがわかったら、それは探していたものを発見したことを示しているのかもしれない――**たとえ、いま手にしている本や論文がきみの事例とは無関係に思えたとしてもだ。**

この発見がいつ起きるのか、それまでどれぐらいかかるのか、あるいはほんとうに発見したのかどうか、それは人に教えてもらえることではない。それに答えられるのはきみだけだ。しかしこれは言っておきたい。ここまで本書の演習をすべてこなしてきて、そして必要な自分証拠をすべて生み出し、それを分析してきていれば、この時点ではもう、内省と自己認識のスキルは大いに磨かれているはずだ。そしてその自己認識――自分自身に気づき、自分自身を信頼し、「自分証拠」を紙に書き出し、それを分析し、その新たな気づきに基づいて次のステップを決めるという作業――のおかげで、〈問題集団〉発見までの道のりはずいぶん短縮されるだろう。

忘れてならないのは、ただ一冊の本、ただ一本の論文、ただひとつのドキュメンタリー、ただひとつの講演を見つけるだけで、扉は大きく開かれるということだ。

　これは間違いない——きみの〈集団〉のメンバーによる文章がひとつでも見つかれば、その後は他のメンバーもずっと簡単に、ずっと短期間で見つけられるだろう。それも何十人何百人と。そしてきみの〈問題〉を扱っている研究が見つかるたびに、脚注や巻末の注や参考文献という形でさらなる資料が見つかることになる。目次、アブストラクト、序文、結論を読み、本文にざっと目を通し、脚注と参考文献をじっくりチェックしよう。**表面的に見てきみの事例と関連があろうがなかろうが、目に飛び込んでくるタイトルがないか気をつけよう。**むしろ、その本や論文がきみとまったく同じもの——同じ地域、人物、時代——を扱っていないということがまさに重要なのだ。きみの熱中している問題が、時代や場所に限定されておらず、非常に異なるテーマを研究している人々にも共有されていることが、その差異によって明確になるのだから。

　そしてその資料をすべて自分の参考文献に加え、できるだけ多く入手して、新しい資料のそれぞれについて同じプロセスを繰り返そう。このプロセスを何度でも繰り返し、関連性がじゅうぶんにつかめたと自信がついたら、最も有望そうな本や論文を手始めに、本格的な読み込みに取りかかるのだ。そしてこれらの資料にじっくり目を通すとき、そしてきみと同じ問題に取り組んでいるとほんとうに思える資料が見つかったときは、自分で自分に何度も以下のように問いかけてみよう。

- この著者は私の〈問題〉をなんと呼んでいるか。
- この著者は、私を悩ますものごとをどのように表現しているか。
- この著者は、明らかに私と同じ疑問に悩まされ、まちがいなく夜も眠れない思いをしているようだが、職業的にであれ知的にであれなんであれ、自分自身を何者だと名乗っているか。

これらの問いに答えたらそれを書き留めておくこと。というより、心に浮かんだことはどんなことでも書き出しておこう。なぜなら、これはめったにない歓喜の瞬間、旅の道連れが見つかった瞬間だから。きみはかれらによって助けられ、鼓舞され、認められ、困難な目標を突きつけられ、そして自分の声を見つけることができるだろう。

よくある失敗

- このキーワード検索のさいに、「変数をひとつ入れ替える」演習の結果を利用しない。

- 二次資料に対して直感的に面白いとか魅力的だとか感じているのに、表面的に自分の事例に直接関連があるように見えないという理由で却下してしまう。
- 見つかった二次資料で、きみの〈問題〉がどのように表現または定義されているか、それに関する三つの質問に対する答えを書き留めない。
- 複数の二次資料に対する分析と内省のプロセスをはやばやと打ち切る、あるいは十分に繰り返さない。
- 自分の〈分野〉に属する二次資料だけ調べる。これはつまり、「変数をひとつ入れ替える」演習において、似たような変数ばかり入れていたことを意味している。

きみの〈集団〉に合わせて書き換える

目当ての〈問題集団〉が見つかったら、次の課題は**かれらのために書くこと**、というより実際には**書き換えることだ**。第3章で書いた研究計画案の原稿をもとに挑戦してみることを勧めるが、レポートでもアブストラクトでも会議の資料でも論文でも、あるいは助成金申請書でも

——果てはスピーチやプレゼンの原稿であっても、原稿の形で書くものであればこのテクニックはなんにでも応用できる。

まずは次のふたつのステップからだ。

1　いま自分の〈問題〉について語るために、〈分野〉の専門用語を使っている（おそらく無意識に）箇所を見つける。

2　〈問題〉の記述からその「仲間」言葉を削除し、きみの〈分野〉外の人々に通じる言葉でわかるように書き直す。

〈問題集団〉に合わせて書き直すのは、最初に思うほど簡単ではない。次の三つの難問について考えてみよう。第一に、〈集団〉はきみのテーマについて、ほとんどあるいはまったく知らないかもしれない。きみの扱っている時代、主題、地域についてなにも知らないかもしれないのだ。そしてきみの〈分野〉にはまるで不案内かもしれないし、そして間違いなくそこの専門用語は理解できないだろう。この点についてはすぐにまた取り上げる。

第二に、きみの〈分野〉で重視されていることがその〈集団〉では重視されていないかもしれない。かれらの〈分野〉では、すでにそれらの問いに答えが出ているかもしれない。民主主義社会での自由意志の役割とか、最も差し迫った環境問題はなにかとか、そういうことに対するコンセンサスが違っているかもしれない。Xという学者はきみの〈分野〉では無数の論文を発表しているのに、その〈集団〉ではほとんど無名かもしれない。あるいは、理由はともあれ、きみの〈集団〉のメンバーにとっては、きみの〈分野〉の一大事は、なんと言うかその、二の次三の次であったりするかもしれない。

第三に、きみの〈分野〉のこだわりやタブーは、その〈集団〉には関係がない。きみの〈分野〉では、ある一派は自由戦士が体制の変化をもたらしたと言い、別の一派は政府がテロリストによって転覆されたと主張している。きみの〈分野〉では、学説Yの正しさを疑ってはならないとか、対象Zに言及するときは特定の用語を使うべきとか合意されているが、きみの〈集団〉にそんな制約はない。いずれそのうち、きみの〈集団〉にも**べつ**の縛りがあるとわかってくるだろうが、しかしいずれにしても、その〈集団〉のために書くときは〈分野〉で要求されるのとは異なる書きかたをしなければならないだろう。

きみの〈集団〉が要求するのは、問題をつねに前面かつ中心に据えることだ。きみの〈分野〉のしがらみから解放されるわけだから、解決しようとしている問題に集中することができる。そのことから、文章の流れ、議論の構造、そして使用する言葉はおのずと決まってくるはず。

どんな分野にも独自の略語や隠語がある。部外者に顔をしかめられたり、ぽかんとされる専門用語だ。きみの〈集団〉に対してそんな話しかたをしたら、まったく話が通じないだろう。〈問題集団〉を見つけるのが非常に重要なのは、ひとつにはこのためだ――つながるためには、自分の〈分野〉のエコーチェンバーから外へ出なくてはならない。

たとえば、ある日きみは美術の講義に出られないことになって、その講義を録画しておいてくれと友人に頼んだとしよう。ところが友人は録音しかできず、講師がこんなふうに話すのが聞こえるだけだ。

この絵の左側を見てください。第二の人物がこの人物を睨みつけていますね。しかしこっちでは、この人物の表情は穏やかです。これは憶えておいて。この話はまたあとで出てきますから。

きみは途方に暮れるだろうし、それもしかたがない。

同じ室内の人にとっては、周囲のものを指さしながら話すのは、自然で効果的な情報伝達手段だ。しかし室外の人にとっては、どんなに賢い人であっても、それを理解するのは至難のわざである。講師が指さしているのはどの絵なのか。左側にはだれがいるのか。第二の人物とはだれのことか。「こっち」とはどこのことなのか。自分の〈分野〉のメンバーだけに向かって物を書いているとき、私たちはみな本質的に「指さしながら話」しているも同然だ。

次の文章を考えてみよう。

GMDとCCPは激しい内戦を繰り広げたが、勝利を収めた後者はそのままPRCの建設に向かった。

現代中国史の研究者にすれば、まったくなんということもない文章だ。しかし畑違いの人々にとっては、この文章はまるで暗号である。情報を伝えるどころか、隠しているとしか思えない。

というわけだから、きみの〈集団〉に向けて書くときは、まず略語をすべて抹殺するところから始めよう。

国民党と中国共産党は激しい内戦を繰り広げたが、勝利を収めた後者はそのまま中華人民共和国の建設に向かった。

ここで別のタイプの〈分野〉内文章の例をでっちあげてみよう。ほかの人々（そしてたぶん同じ〈分野〉でも一部の人々）にとっては、部屋の外から聞いているような文章だ。

パークとウィリアムズの発見によって、有力だったウェンデル説の誤りが明らかになった。

これを書き直して、きみの〈集団〉を部屋の中に迎え入れよう。

一〇世紀のノルウェーの墳墓から、ナイフとフォークとともにザトウクジラの骨が出土したことから、ヴァイキングはエビしか食べていなかったというある学者の有力な説が否定された。

なんだ、そんな話だったのか！

言うまでもないが、仲間言葉は場合によっては役に立つし、必要不可欠ですらある。専門家どうしで使えば、冗長な説明が要らないから話が早いし、研究の複雑な側面を突っ込んで語り合うために時間を有効活用できる。胸部外科医に専門用語を一から十まで説明してもらいたいとはだれも思わないし、いざ手術となったとき、普通の言葉で説明されなければわからない人に手術室にいてもらいたいとも思わないだろう。

とはいうものの、研究の初期段階で仲間言葉を使うのはもってのほかだ。生死を分ける決断を即座に効率的に下さなくてはならない救急治療室ではないのだから、研究の初期段階では、**言葉を縮めずにていねいに説明する**ほうがためになる。きみの〈集団〉に向けて書くさいには、専門用語を普通の言葉に翻訳することが必要なのだ。

理由は単純明快。もうわかっているだろうが、多くの場合、きみの〈集団〉の人たちはきみと同じ〈分野〉の出ではなく、きみと同じテーマを取り扱っているわけでもない。きみの研究の動機になっている、深層の問題や悩みは共有しているが、きみの〈分野〉特有の符牒がなにを意味しているかはちんぷんかんぷんなのだ。これは名詞にかぎった話ではなく、「介入する」とか「対処する」といった動詞――抽象的な意味で使われる場合はとくに――でも、具体的にはなにをどうすることなのかと疑問に思われることが少なくない。そういう言葉はちゃんとした説明に置き換えよう。注釈をつけて〈集団〉のメンバーに基礎的な情報を提供し、きみの研究に関する説明が通じるようにするのだ。きみの問いを理解してもらい、きみが同じ〈問題集団〉に属していると認めてもらえるようにしよう。きみの問いや問題や悩みを、具体的な場所や時代、人物、組織と関連づけて説明することだ。

文脈を説明すれば、かれらは研究を推し進める助けになってくれる。また略語や省略表現を使わないようにすれば、〈集団〉仲間にもきみの考えが伝わるし、あれこれ質問してくれて、それが思い込みに対するストレステストになり、きみがブレイクスルーを果たす助けともなるにちがいない。

やってみよう――「仲間言葉」を見つけて書き換える

目標

自分の〈分野〉のメンバーにしか通じない言葉を見つけて書き換え、〈問題集団〉の仲間とつながることができるようにする。

この演習では、パソコンではなく紙を使うことを強くおすすめする。またその際には、できれば最低五色の蛍光マーカーのセットを使ってほしい。この演習は次のステップで行なう。

ステップ1：〈分野〉向け文章を〈集団〉の目で読み直す

研究計画案をプリントアウトし、「仲間言葉」が出てきたらマーカーで印をつける。そのさい、仲間言葉の種類によって色分けする。以下に例をあげよう。

- 青——苗字だけの人名、あるいは初出時になんの説明もない人名
- 赤——定義または説明もなく出てくる特殊な用語や専門用語
- オレンジ——内容をかえってわかりにくくしている形容詞や副詞
- 緑——具体的に特定もされず、簡単な説明もされずに出てくる事象
- 黄色——略語

自分で独自のカテゴリーを作ってもよい。

この演習にパソコンを使う場合は、テキストハイライトツールを使って色分けするとよい。色を使うよう勧めるのは、きみの使う言葉のくせがひと目でわかるからだ

（「黄色ばっかり――どう考えても略語の使いすぎだ！」）。とはいえ、区別がつくのであれば、フォントでも目印（番号、文字、記号）でも、好きな方法を使ってかまわない。以下に例を示す（モノクロだが）。最初は上のようだった原稿が、しまいには下のようになるわけだ。

原稿をきれいなままにしておいても、だれも褒めてはくれない。いまはできるだけ多くの仲間言葉を見つけて印をつけることが肝心なのだ。そうすることによって、きみの〈集団〉とどうしたら効果的に意思疎通ができるか、その方法がより明らかに見えてくるだろう。

ステップ2：〈分野〉外の言葉に書き直す

文章のチェックが終わったら、ハイライトした部分を書きなおす。それぞれについて、初出時に次のように直していこう。

A **人名**――フルネームをあげ、できれば簡単な人物紹介を入れておく。

B **組織**――部外者にもわかるように説明を入れる。

C **専門用語**――削除して、その現象または原理を解説する。その用語を使わなけ

Lorem ipsum dolor sit amet, consectetuer adipiscing elit, sed diam nonummy nibh euismod tincidunt ut laoreet dolore magna aliquam erat volutpat. Ut wisi enim ad minim veniam, quis nostrud exerci tation ullamcorper suscipit lobortis nisl ut aliquip ex ea commodo consequat. Duis autem vel eum iriure dolor in hendrerit in vulputate velit esse molestie consequat, vel illum dolore eu feugiat nulla facilisis at vero eros et accumsan et iusto odio dignissim qui blandit praesent luptatum zzril delenit augue duis dolore te feugait nulla facilisi.

Lorem ipsum dolor sit amet, cons ectetuer adipiscing elit, sed diam nonummy nibh euismod tincidunt ut laoreet dolore magna aliquam erat volutpat. Ut wisi enim ad minim veniam, quis nostrud exerci tation ullamcorper suscipit lobortis nisl ut aliquip ex ea commodo consequat.

Lorem ipsum dolor sit amet, consectetuer adipiscing elit, sed diam nonummy nibh euismod tincidunt ut laoreet dolore magna aliquam erat volutpat. Ut wisi enim ad minim veniam, quis nostrud exerci tation ullamcorper suscipit lobortis nisl ut aliquip ex ea commodo consequat. Duis autem vel eum iriure dolor in hendrerit in vulputate velit esse molestie consequat, vel illum dolore eu feugiat nulla facilisis at vero eros et accumsan et iusto odio dignissim qui blandit praesent luptatum zzril delenit augue duis dolore te feugait nulla facilisi.

Lorem ipsum dolor sit amet, cons ectetuer adipiscing elit, sed diam nonummy nibh euismod tincidunt ut laoreet dolore magna aliquam erat volutpat. Ut wisi enim ad minim veniam, quis nostrud exerci tation ullamcorper suscipit lobortis nisl ut aliquip ex ea commodo consequat.

Lorem ipsum dolor sit amet, consectetuer adipiscing elit, sed diam nonummy nibh euismod tincidunt ut laoreet dolore magna aliquam erat volutpat. Ut wisi enim ad minim veniam, quis nostrud exerci tation ullamcorper suscipit lobortis nisl ut

BEFORE

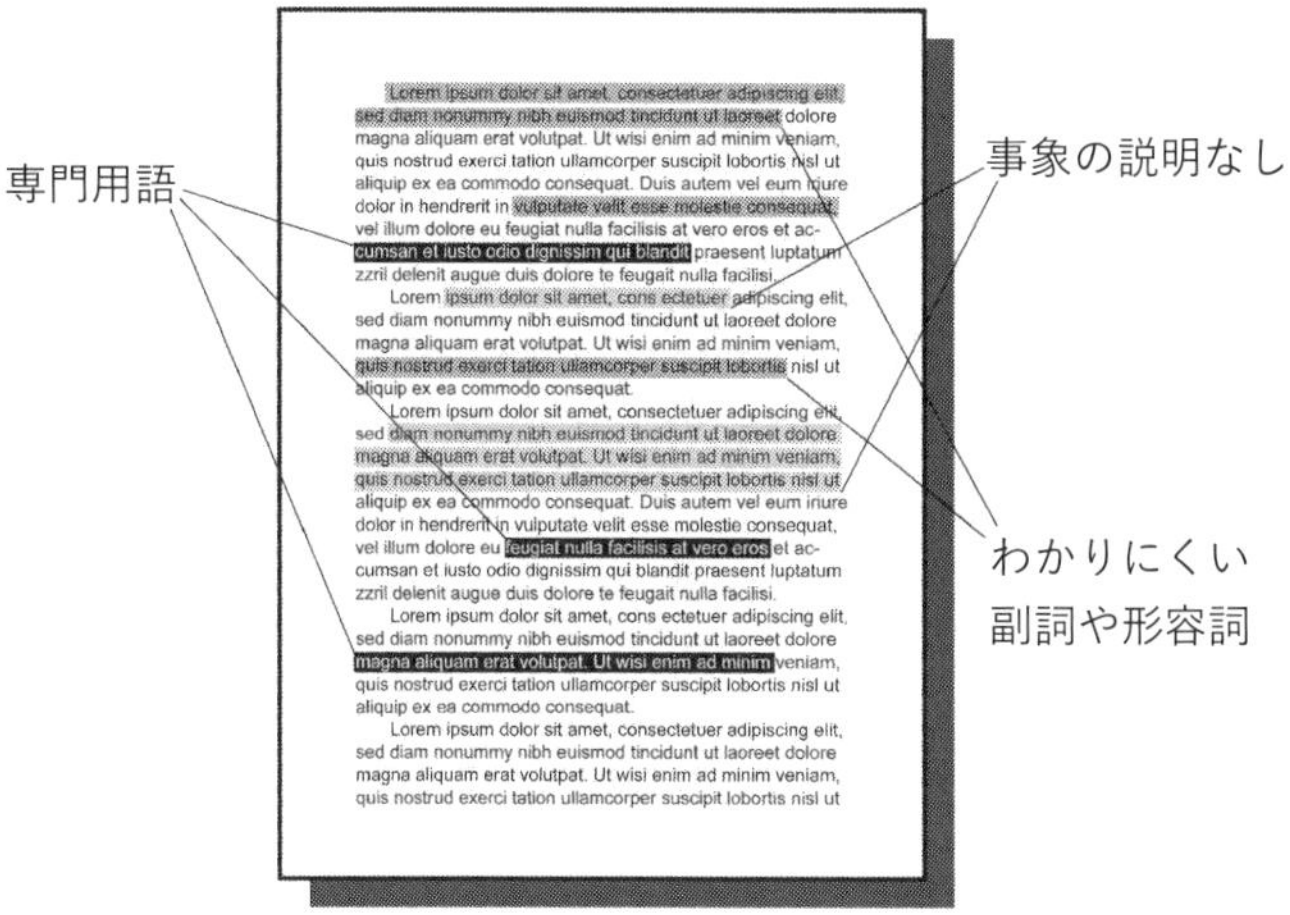

専門用語

事象の説明なし

Lorem ipsum dolor sit amet, consectetuer adipiscing elit, sed diam nonummy nibh euismod tincidunt ut laoreet dolore magna aliquam erat volutpat. Ut wisi enim ad minim veniam, quis nostrud exerci tation ullamcorper suscipit lobortis nisl ut aliquip ex ea commodo consequat. Duis autem vel eum iriure dolor in hendrerit in vulputate velit esse molestie consequat, vel illum dolore eu feugiat nulla facilisis at vero eros et accumsan et iusto odio dignissim qui blandit praesent luptatum zzril delenit augue duis dolore te feugait nulla facilisi.

Lorem ipsum dolor sit amet, cons ectetuer adipiscing elit, sed diam nonummy nibh euismod tincidunt ut laoreet dolore magna aliquam erat volutpat. Ut wisi enim ad minim veniam, quis nostrud exerci tation ullamcorper suscipit lobortis nisl ut aliquip ex ea commodo consequat.

Lorem ipsum dolor sit amet, consectetuer adipiscing elit, sed diam nonummy nibh euismod tincidunt ut laoreet dolore magna aliquam erat volutpat. Ut wisi enim ad minim veniam, quis nostrud exerci tation ullamcorper suscipit lobortis nisl ut aliquip ex ea commodo consequat. Duis autem vel eum iriure dolor in hendrerit in vulputate velit esse molestie consequat, vel illum dolore eu feugiat nulla facilisis at vero eros et accumsan et iusto odio dignissim qui blandit praesent luptatum zzril delenit augue duis dolore te feugait nulla facilisi.

Lorem ipsum dolor sit amet, cons ectetuer adipiscing elit, sed diam nonummy nibh euismod tincidunt ut laoreet dolore magna aliquam erat volutpat. Ut wisi enim ad minim veniam, quis nostrud exerci tation ullamcorper suscipit lobortis nisl ut aliquip ex ea commodo consequat.

Lorem ipsum dolor sit amet, consectetuer adipiscing elit, sed diam nonummy nibh euismod tincidunt ut laoreet dolore magna aliquam erat volutpat. Ut wisi enim ad minim veniam, quis nostrud exerci tation ullamcorper suscipit lobortis nisl ut

わかりにくい
副詞や形容詞

AFTER

ればならない場合は定義する。

D　**形容詞と副詞**――価値判断をこっそり「密輸」しようとしている言葉、たとえば「伝統的に」「正常な」「明らかに」「科学的に」「明白に」「不合理な」などの言葉を見つけて、より具体的で公平でわかりやすい言葉に置き換える。

E　**事象**――必要な文脈を添えて、なにがあったのか簡単に説明する。

F　**略語**――削除して、正式名称か簡単な解説に置き換える。

忘れてならないのは、**わかりにくさをなくす**だけでは十分でなく、**伝えるべきことを伝える**のが最大の目標ということだ。積極的にわかりやすさを追求しよう。

よくある失敗

- 曖昧な、あるいは分野特有の用語としてすぐに気がつく名詞だけチェックして、形容詞や副詞や動詞をチェックするのを怠ってしまう。
- カラーマーカー（あるいはフォントや記号などの目立たせる手法）を一種類しか使わない。仲間言葉を使うくせを系統的かつ正確に把握するのに役立つので、ここは複数使ったほうがよい。

● 〈分野〉の用語を、専門外の人にもわかる言葉ではなく、〈分野〉のべつの用語で置き換えてしまう。

反響板――計画案の一般用語バージョンは意味が通るか?

ここまでできみは、研究計画に出てくるさまざまなタイプの仲間言葉に、一定のルールに従ってチェックを入れて、ふつうの(専門外の)人にも読んでわかる言葉に置き換えた。次は、そのテーマの専門家でない人(つまり、きみのテーマについて専門的な知識をまったく持っていない人)にその書き直しバージョンを読んでもらって、意味がわからない部分にチェックをつけてもらおう。驚くことになるかもしれない。自分のテーマの問題に近づくほど、客観的に見るのがむずかしくなるものだ。どんな単語や語句がわかりにくいのか。論理の流れがたどれるか。どのあたりに引っかかるのか。通じるようになるまでその部分を書き直そう。〈反響板〉に相談すれば、きみの研究したい問題をよりわかりやすく表現するのを助けてくれるだろう。

きみの〈集団〉にようこそ

このグループが〈解決集団〉と呼ばれていないことに注意してほしい。〈問題集団〉の人々は、その問題がどのように解決できるか、どのように解決するべきかについて、非常に異なる考えを持っているかもしれない。貧困に対する解決策は？　理想的な幼児教育とは？　テロリズムを防止する最善の道は？　さまざまな提案がなされても、自分中心の研究者であれば、〈問題集団〉内の意見の相違に楽に対処することができるだろう。〈集団〉のなかにきみの意見に反対の人がいても、冷静に（予防線を張るのでなく）受け入れることができるからだ。味方でない人もいるだろうし、最後まで味方になってくれない人もいるだろう。だが、それはむしろよいことなのだ。きみはもともとのアイディアを肯定してもらおうとしているわけではない。共感を求めているわけでもない。きみの動機となっている問題を、新たな視点で見直すことを求めているのだ。自分中心の研究者なら、提案されたさまざまな解決策や、解決策を見いだすための手法について、柔軟で客観的な批判精神をもって考慮することができる。

安住してはいけない。〈問題集団〉はアイディアの集合体であり、アイディアは動的で変化していくものだ。〈集団〉は進化していく場所であり、新たなアイディアを求め、あるいは充電し再生するための場所だ。避難所ではないのだから、自分の〈分野〉から隠れようとか、承認を求めようとかしてはいけない。また〈集団〉を見つける目的は、知的範囲の広さや学際性によって人を恐れ入らせることでもない。そのような慢心は〈自分中心の研究〉にとっては邪魔にしかならない。重要なのは探究することだ。きみはひっきりなしに〈問題集団〉を離れ（そしてしばしば戻り）、べつの領域やカテゴリーや時代などの調査に乗り出さなくてはならない。また、これは手始めだということを忘れてはいけない。複数の〈問題集団〉に所属することもあり得るし、プロジェクトごとに乗り換えていくことになるかもしれないのだ。

第5章

〈分野〉の歩きかた

〈問題集団〉を見つけるのはむずかしいが、〈分野〉を見つけるのは簡単だ。〈分野〉のほうがきみを見つけてくれる。

その主な理由は、分野は一般的に、きわめて広い意味でテーマと結びついており、テーマのカテゴリーがきみはこっちの研究者だと主張するからだ。きみの〈分野〉はきみを〈テーマの国〉に引き戻す。

分野にはそれぞれ独自の雑誌、専門団体、ニューズレターがあり、ほかにも無数の手段で関係団体を呼び集めようとしている。大学は学部に分かれているが、そのほとんどは化学、経済学、コンピュータ科学、古典学、英文学、アジア研究など、分野に基づく名前がついている。人口問題研究学部やジェンダー研究所などは、集団に基づく組織と言ってよいかもしれないが、このような組織化の方法はたいていの場合まれである。分野と集団の勢力関係は、現代の学問の世界でいまも継続中の知的綱引きの一環なのだ。

分野が〈問題集団〉とちがうのは、活動の範囲または研究対象によって分類されているという点だ。それに対して集団は、共有する知的な課題または一連の関心によって決まる。研究プロジェクトが鳩時計の歴史だったとすると、この時計と黒い森（シュヴァルツヴァルト）との関連からして、きみは必然的にドイツ研究の分野に属することになる。しかしきみの〈問題集団〉のメンバーは、物質文化や技術史の研究者たちだったりするかもしれない。

　また、きみが美術史学科に所属していて、徐冰（シュー・ビン）について書きたいと思っていたとしよう。徐冰は現代美術のアーティストで、有名なインスタレーション作品「天書」は、四〇〇〇を超す「偽」漢字を用いて印刷された巻物だ。というわけで、この場合は言語学者や美術館の学芸員、書道家、グラフィック・アーティスト、コンピュータ科学者、木版印刷技術史の研究者、あるいは「ナンセンス」詩の専門家などと議論することになっても不思議はない。そのなかにきみが見いだす知的仲間には、アーティストがどのように、またなぜ、慣れ親しんだ文化形式を用いて、作品の美しさやわかりやすさに対する期待を裏切ろうとするのか、そこに興味をもつ人もいるかもしれない。

　〈集団〉は友人のようなものだ。同じ興味関心を持ち、きみはみずから選んでかれらとともに過ごす。〈集団〉を見つけるのは、帰属先をみずから決めるプロセスなのだ。それに対して〈分野〉は家族に似ている。先に先輩たちがいて、きみを自分たちの一員だと主張し、好むと好まざるとにかかわらず、きみはかれらと共に暮らし、ともに長い時間を過ごさなくてはならない。ある分野に所属するかどうかはすべて自分で選べることではなく、向こうから割り当てられるという面もある。もちろん〈分野〉を去ることはできるし、その価値観や決まりごとを無視することもできるが、それでも類似性を指摘されたりする。

人は自分のアイデンティティを通して家族を眺めがちだ。自分の家族にも、それぞれ他の集団のメンバーとしてのアイデンティティがあることに気づかなかったりする。子供は、親が職業に従事していることを常に意識しているとは限らない。親が仕事に行って帰ってきて、自分たちと遊んだり、学校に迎えに来たりするのを当たり前だと思っている。しかし親は、起きているあいだはたいてい、子供とは関係のない問題を解決するために時間を使っているのかもしれない。親が所属している組織の文化、協会、任意団体、社会的・思想的な運動や活動などなど、それらが存在する理由は、子供たちが気づいてすらいない問題を解決することかもしれない。私たちを育てる以外の活動に親がそれほどの時間を費やしていると気がついたとき、私たちは親をそれまでとは異なる角度から見るようになり、そして自問する——この人たちは、ほんとうは何者なのか。

本章で扱う中心的な問題のひとつはこれだ——**同じ〈分野〉のメンバーと問題や関心が一致しないときどう対処するか。**

それぞれの研究をしているとき、きみの〈分野〉のメンバーが必ずしもきみのために書いているとは限らないのはなぜだろう。もう気づいているだろうが、それはかれらが自分の〈問題集団〉に向けて書いているからかもしれない。きみ自身の言葉できみのこと、つまりきみの〈問題〉が何かということを、〈分野〉の人々が理解しようとしてくれないと悩む前に、こう自問自答してみよう――かれらの〈問題〉はなんだろうか。なんのかのと言っても、研究機関としては最初に来るのは分野である。しかし、その分野を構成している学者たちにとっては、最初に来るのは自分の〈問題〉だ。これが分野の内的矛盾のひとつであり、分野はこの矛盾のせいで、動的であると同時にフラストレーションの溜まる場所ともなっているのだ。

〈集団〉は**きみが自分を見つける**のに役立つ。

〈分野〉は**きみが自分自身を脱却する**のに役立つ。

きみの〈分野〉内に存在するさまざまな〈問題集団〉を見つけよう。そうすれば〈分野〉がどのように動くか、そしてどうすれば〈分野〉が自分にとって都合よく動いてくれるかわかってくるだろう。ある分野のメンバーであるということは、たんに会員証をもらって、価値や慣例をそのまま次に伝えていくということではない。きみはその分野の進化を助ける役割をになっているのだ。

〈分野〉内の〈問題〉を知る

分野には多くの利点がある。テーマごとに集まっているし、雑誌、会合、協会、文献目録、資金援助団体などもあって、特定の分野の研究や学習を支えている。この組織的構造のおかげで、あるテーマに関連する資源やデータ、他の研究者を容易に見つけられる。また継続的に知識を生み出し成文化し、慣例を作り改善し、研究者どうしの査読を通じてメンバーの研究結果に対する品質管理を行なっている。〈問題集団〉にはこのような支援は存在せず、ひとつにはそれが理由で、見つけてつながるのがはるかにむずかしくなっている。

分野にも欠点はあり、研究者に及ぼす影響の深刻さもさまざまで、たんに不便ですまされるものから、研究に支障が出る場合もある。慣例が定まって来れば、盲点も増える。広く受け入れられた常識が固定観念になって革新を阻害したりする。権威の過度の尊重、あるいはその自己宣伝によって硬直した教義が生まれることもある。若手研究者は群れに従わねばならないと感じ、ほんとうの関心や独自のアイディアを反射的に押さえ込んでしまったりする。

本書の第1部では、自分中心の研究者になるための演習をこなしたが、その多くはこのようなよくある落とし穴をよけられるようにすることが目的だった。ひとつの資料、多くの検索結果、あるいはペンと紙だけを相手に作業しているときも、きみは何度もくりかえし自分の声に耳を傾け、身内に走る電流を感じたときはそれに正直になることを学んできた。

本章で紹介する考え方や手法は、以下のような目的に役立つ。

- 自分の〈問題〉を常に見失わないようにしつつ、広大な知識の野を効率よく歩きまわる。
- きみの〈分野〉の資源を最大限に活用する。その分野のメンバーで、なおかつきみの〈問題集団〉のメンバーでもある研究者はとくに役に立つ。
- 分野との相互作用のさいに研究者が陥りがちな、よくあるトラップ（概念的なものもあれば方法論的なものもある）を避ける。

そのようなトラップのひとつが、分野をテーマと見なしてしまうことだ。つまり、下位分野あるいは下位テーマ——これらはより具体的で、したがって互いに関係が薄い——の集まりに過ぎないと考えてしまうのだ。これは何度も目にしてきたことだが、学生たちはテーマを「絞る」ことさえできればプロジェクトになると考えがちだ。しかし、先にも述べたように、**絞っても〈テーマの国〉から出ることはできない**（〈下位テーマの国〉はなお悪い）。〈分野〉を下位分野の集まりとしてではなく、〈問題集団〉の寄せ集めと見るようにと私たちが勧めるのはそのためだ。そういう心構えでいれば、特定の事例にとらわれず、まったく異なるテーマで研究している研究者と問題を共有していることに気づくことができる。〈テーマの国〉に足を取られることなく、ある分野の奇跡のような資源を活用できるようになるのだ。

このように見かたを変えるだけで、自分の〈分野〉との関係が根本的に変わってくる。

分野を読んでかれらの問題を知る：「文献レビュー」を再考する

まずは、ある分野を歩く一般的な方法を考え直すことから始めよう。その方法とは「文献レビュー」だ。

文献（リテラチャー）レビュー（よく「リット・レビュー」と略される）は、学術的な論文や記事、論述、書籍には欠かせない要素である。これは論文や論説の冒頭近くに置かれていて、「われわれはいかにしてここ、すなわちこの問題にたどり着いたか」と著者がみずから問い、答える場所だ（「分野の現状」の論文も同様の役割を果たしている。つまりさまざまな考え方をまとめ、それを研究する意味を分析するということだ）。文献レビューは、特定のテーマまたは問題について、関連する文献を著者がすべて読んでいることを証明し、この研究をおこなう資格があると主張する場である。ここでは知的系譜の糸をたどり、自分の研究の目的をわかってもらうために必要な、議論や学説、新たな発見や革新的なアイディアを明らかにしなくてはならない。たんに年譜を作ったり出版物のリストをあげればいいというわけではない。きみの研究が、先行する研究を踏まえてそれを拡張・発展させるものであり、問題の新たな側面を取り扱っていると論じているのである。

第2章で、「分野のギャップ」を埋めるのをプロジェクトの目的とするのはやめたほうがよいと述べた。ここでは、ギャップ埋めにならない方法を紹介しよう。そもそも、分野は穴を塞がないと崩れてしまうダムではないし、また修復の必要な衣服でもない。むしろパーティで続いている会話のようなもので、きみはそこに加わったばかりだ。たんにすきまを埋めれば喜んでもらえるわけではない。人々が求めているのは、きみが新たなアイディアを面白く語ってくれることであり、それが彼ら自身のアイディアを磨くのに役立つことなのだ。

文献レビューは退屈で厄介な仕事と評判が悪い。書くのはむずかしいし、読むのはさらにむずかしかったりする。きみにとっては、以前よりさらにむずかしくなっているかもしれない。きみの〈集団〉のメンバーによる研究――〈問題〉の核心にじかに切り込んでいて、大いにやる気をかき立てられる――を読んだところだから、分野全体の研究に目を通すのは、なにしろきみのプロジェクトとは無関係なものも含んでいるし、以前よりさらにつまらなく思えるわけだ。いわば知的世界の税金のようなもの、楽しみではなく義務と感じられるかもしれない。

幸いなことに、これには簡単な解決法がある。どんな分野もさまざまな〈問題集団〉の研究者から構成されているのだから、文献レビューを書くときのきみの仕事は、べつの集団の声に耳を傾け、他の集団のメンバーが自分の目的や価値をきみのテーマにどのように持ち込んでいるか認識し、**かれらの〈問題〉（きみのではない）の視点からその研究について考える**ことだ。

他の集団と交流することは、きみ自身の価値についてよりよく理解することにつながる。他の集団を尊重することを学び、同じテーマについて異なる問いをだれかが発していても、すぐにそれは間違っていると決めつける愚を避けることができる。たんにその人は異なる目的を持ち、異なる問題を解決しようとしているのかもしれないのだ。

こんな場面を考えてみよう。きみは自分の〈分野〉の会議に出席し、きみの研究テーマに関連するプレゼンテーションを見ている――が、退屈だと思った。

すぐに頭をよぎるのは、「私の〈問題〉を扱っているが、扱いかたがなってない」という思いだ。

これは「自己中心的な」反応で、自分中心の反応ではない。〈問題集団〉というものに気づいている自分中心の研究者なら、「この同僚は私と同じテーマを扱っているようだが、私とはまったく異なる問題というレンズを通して見ているようだ」と考えるだろう。「この人はどんな〈問題〉を解こうとしているのか」と。

新たな問いが次々に浮かんでくる。この人の研究や〈問題〉は、私の研究や〈問題〉にどう役に立つか、あるいはその逆はどうか。私が気づいていないなにかに、この人は気づいているのではないか。

後のアプローチの方が有利なのは明らかだ。分野と集団との生産的摩擦をたくみに利用して、新たなエネルギーを生み出し、その両方を変えることができるだろう。

これが、「文献レビュー」という無味乾燥な名前の仕事を面白くする方法だ。〈分野〉を歩くさいのきみの仕事は、学者たち——この仕事を始めたばかりの者もいれば、ずっと以前に亡くなった者もいる——を呼び集め、一連の問いや関心事に関して討論させることである。そのすべてをまとめれば、きみの〈問題〉に関するきわめて魅力的で重要な研究の概論になっているというわけだ。

資料を評価するときに気をつけるべき点をあげておこう。これは、〈分野〉や〈集団〉のメンバーが書いた資料の場合も同じだ。

- **批判的であること。** 査読済みの雑誌や書籍に書いてあっても、必ずしも完全無欠とはかぎらない。根拠もなく否定するのはよくないが、専門家の言葉だからと鵜呑みにするのもよくない。
- **公平であること。** 資料の長所と短所を正確に記述しよう。

- **著者の関心事（自分のではなく）に注目する。**資料を評価するときには、自分ではなく、著者が最も注目している重要ポイントを取りあげること。言い換えれば、自分勝手に枝葉末節をほじくり返すのではなく、その文章で著者が言おうとしていることを主眼に評価するということだ。著者の主目的からすれば実際には大した問題ではないのに、そんな点ばかり取りあげて批判を積みあげるぐらい不公平なレビューはない。

〈分野〉については、無批判に従うべき戒律の集まりと考えるよりも、試験したり改善したり修正したり並べ替えたり付け加えたりするべき提案の集まりであるとみなしたほうがよい。きみはそういう場所に入ってきたのだ。

批判精神は持つべきだが、痛快がるためだけに権威を馬鹿にするといった、新参者にありがちな愚行は慎もう。週刊風刺雑誌『ジ・オニオン』は、架空の本のタイトルでこの風潮を笑っている。いわく、ウェンデル・スペンサーの『学校は子供たちを駄目にしない――いかに私たちが一般に言われる意見の逆を主張したか』。きみの〈分野〉にそういう目立ちたがり屋はもう必要ないのだ。

同様に、弱い者いじめをしたり説教したりする連中を分野は容認しない（あるいはすべきでない）。アイディアを戦わせる場では、重要なのはアイディアであってそれを推している人間ではない。資料を評価するさいは、つねに研究者ではなく研究に注目しなくてはならない。そうすることで偏見を持たずにいられるし、称賛や非難をしかるべき相手にためらうことなく与えることができるだろう。他の研究者のアイディアはどんなときも歪めずに伝えなくてはならない。これはきみに課せられた義務だ。

やってみよう――**「きみの問題はなに？」書店を開く**
〈つまり、〈分野〉を〈問題集団〉で分類する〉

目標

きみの〈分野〉の文献を、それが扱っているテーマではなく、研究の動機となっている問題によって分類する。そのために、少数の二次資料を「問題セクション」ごとに分けて並べてみよう。

第4章では、書店の棚がその本の「テーマ」ではなく、それぞれの著者を駆り立てる問題によって分類されているさまを想像してもらった。たとえば「哲学」――こちらの棚にはドイツ哲学の本、あちらはギリシア哲学、そっちはインド哲学、などなど――といったセクションの代わりに、この「問題書店」では（やはりたとえば）「いかにして古代の宗教的文献やその他の著作が真正であると証明できるか」のようなセクションが設けてあるわけだ。あるいは「いかにして悪を理解するか」とか、「いかにして道徳的に行動するよう自分や他者を教育できるか」とか。

さて、架空の話はもういいだろう。きみの仕事は、研究のために読もうと思っている本を使って、この書店を現実のものにすることだ（小規模ではあるが）。手順は以下の通り。

1　きみのテーマに関連する〈分野〉の二次資料から、短いもの（論文や本の章――本一冊ではなく）を六点から八点選ぶ。きみはすでに、自分のテーマに関する研究の予備的な参考文献リストを作っているだろう。〈反響板〉からもいくつか勧められているかもしれない。資料選びにあまり悩む必要はない。学者の書いた真面目な文章で、きみのテーマ「についての」文章であれば、いまはそれで十分だ。いつでもあとから追加できる。

2

表9（二七〇ページ）を参考に、リストアップした最初の資料のテーマを書き出す。「古代ギリシア哲学」とか「仏教」などのように一般的なテーマを書けばよい。ここは簡単に書くこと。論文や章のイントロダクション（あるいはタイトルだけでも）を見れば、読んでいなくてもテーマはわかるはずだ。

3

次に、その資料が扱っている具体的な事例を書く。たとえば日本の中世の仏教建築に関する研究とか、古代のストア派哲学の一派の研究とか。ここもやはりなるべく簡単に書くこと。事例はその資料のタイトルまたは冒頭の箇所に書いてあることが多いものだ。

4

その研究で扱われている具体的な問いをリストアップする。このあたりから話が細かくなってくる。きみの精読のスキルを活かすときだ。自分の研究に対して先にやった——ブレインストーミングをして小中規模の大量の問いを鍛え、すべて「足し合わせて」より広範なプロジェクトに作り上げてきた——ように、ここでは、いま読んでいる研究を構成する小中規模の問いを明らかにしようというわけだ。運がよければ、研究者自身が自分の問いをはっきり明示的に述べている場合もある。しかしおそらく、著者の述べる説明や主張に基づいて、問いを「リバースエンジニアリング」であぶり出すことが必要だろう。できるだけ多くの問いを見つけよう。少なくとも一〇個は見つけられるよう頑張ってほしい。

5

見つけた問いと問いをつなぐパターンを見つける。これまた以前やった演習とまったく同じで、ただ今回は自分自身ではなく他者の研究を対象に行なう。見つかった一〇個以上の問いのリストを分析し、次のように自問しよう。あえて推測するなら、この著者はなにに関心を持ち、なにに夢中になっていると見えるか。なにに駆り立てられているのだろうか。著者が立てていないように見える問いにも目配りを忘れてはいけない。きみにとっては自明に思えるのに、どうもその研究では扱われていないように思える問いはないだろうか。これはすべて「自分証拠」(憶えているかな?)だ。ただしここで言う「自分」とはきみのことではなく、その文章の著者のことである。

6

問題を明らかにする。問いのリストを作成し、その問いを生み出すパターンを分析したら、この演習で最もむずかしく、最もやりがいのある部分に取りかかろう。著者の事例研究の奥を見通し、深層にある問題を明らかにするのだ。そしてできるだけ一般化して、その問題をまとめて一文で記述する。言うまでもない(と思いたい)が、著者の事例と〈問題〉とをごっちゃにしないよう気をつけよう。

7 リストアップしたその他の資料について、ステップ1から6を繰り返す。

8 資料のほとんどすべてについてこの作業を終えたら、さまざまな著者の〈問題〉をつなぐテーマまたはパターンがないか探そう。これまでに見つけてきたさまざまな問題のなかに、関連するように思えるものはないだろうか。もしなくても、無理にこじつけることはない。「一属一種」のような問いがあるのはおかしなことではない。しかし共通すると思える点があるなら、それをグループにまとめよう。そしてそのより大きな〈問題集団〉に名前をつける（少し一般化したり抽象化したりと記述に修正が必要になるかもしれないが、それは構わない）。最終的にできたグループ（とそれにつけた名前）は、きみの〈問題書店〉の棚になる。それが完成したら、書店を開いて資料探し仲間に公開しよう！

この演習の主眼はふたつある。ひとつには、〈分野〉をさまざまな〈問題集団〉に分類することを学ぶと、〈分野〉を効率よく歩けるようになり、読んだ議論や事実をはるかに理解（そして記憶）しやすくなる。他者の研究の動機になっている問題について知ると、その研究をどのように読めばいいかよくわかるだけでなく（たとえば、

表9　分野を〈問題集団〉に分類する

資料番号	タイトル	テーマ	事例	問題	問題集団
1					
2					
3					
4					
5					
6					

ある人の議論にとってどの部分が重要で、どの部分が単なる傍注に過ぎないのか見分けがつくとか)、遭遇した議論や情報のすべてを、頭のなかのどこに整理し格納すればいいのか、ずっとはっきりわかるようになる。学者にとって問題は議論の構造であり、骨格であり、方眼だ。それがなかったら、どんなにしっかりした研究を読んでも、怒濤のような事実や議論に圧倒されてしまいかねない。

理由はもうひとつある。扱っている場所や時代などではなく、仲間の研究者がほんとうはなにを研究しているのか、それを理解することによって、より深く意義深いレベルで仲間の研究者とつながるという、まるで魔法のような能力を身につけることができるのだ。たとえばまったく同じ中東の王家に関するふたつの家系研究とか、リオデジャネイロのまったく同じスラム街を扱った三つの社会学的研究などが、じつはぜんぜんちがう問題を動機としているということがわかったりするだろう。同様に、リオデジャネイロに関する研究が、中東の王家に関する研究とまったく同じ問題をその研究動機にしていたりするかもしれない。**事例と問題は別もの**なのだ。

断わっておくが、プロジェクトの二次資料が増えていくごとに、その分野のありとあらゆる研究について網羅的なカタログを作ったり、大々的に分類しなおすことを勧めているわけではない（実際に書店を開くわけではないのだから）。しかし、こういうものの見かたをすることで、研究をより効果的に（そして率直に言って愉快に）進めることができる。早い話、自分の研究であれ他人の研究であれ、なにが問題なのかわかっていれば、より楽に学問の大海を渡っていけるのだ。

よくある失敗

- 研究を問題ではなく、テーマや下位テーマで分類してしまう。
- 研究を問題ではなく事例で分類してしまう。

やってみよう――他者の変数を入れ替える

目 標

他の研究者のテーマ、問題、問題の事例がどのようなものであるか理解する。先に述べた「変数をひとつ入れ替える」演習を用いてインタビューすることにより、メンター、〈反響板〉、あるいは研究者仲間の問題について学ぶ。

問題の実例となる事例と、その問題とを区別するのはときにむずかしいことがある。先の演習をやったときに、たぶんそのことには気がついただろう。今回の演習では、事例の底にある問題を見通すことがなぜそれほど重要なのか、またそれをするために複数の戦略を持つことがなぜ有用なのか、その理由もわかってくるだろう。

この演習では、立場を替えて「変数をひとつ入れ替える」を行なう。第4章では、自分の問いについて一度にひとつずつ変数を入れ替え、きみの問題についてそれでなにがわかるか確かめた。今度はべつの研究者――メンター、反響板、あるいは同僚――にきみといっしょに声に出して同じことをするよう頼み、それによってかれらのテーマ、事例、〈問題〉について学んでいこう。

その人がきみの〈分野〉に属しているなら運がよい。テーマと問題と事例の動的関係が、きみと同様の題材に取り組む人にどのように影響するか知ることができる。しかし、必須条件ではまったくない。ここで重要なのは、きみ自身の頭の外、つまり研究の世界において、研究の動機になっている問題を正確に突き止める方法を学ぶことなのだ。この作業はよい訓練になると同時に、きみと研究者仲間との絆を強めるものになるだろう。

以下にやりかたを説明する。

1 「変数をひとつ入れ替える（COV）」演習のやりかたを復習しておく。あれからいろいろやってきて記憶も薄れているだろうから、第4章のその部分を再読しよう。

2 きみの選んだインタビュー相手に、向こうがこの演習についてまだなにも知らないという前提で、COV演習のことを紹介する。目標と方法をきみが自分で説明してもいいし、本書の該当箇所を読んでもらうという手もある。自分自身についてのCOVは済ませたので、今度はほかの人にインタビューして、同じテクニックを使う練習をしたいのだと説明する。このインタビューはきみのセルフトレーニングの一環だと説明しよう。相手の研究についてもっとくわしく知るだけでなく、他の人の研究に関してテーマと事例と問題とを区別する練習をしたいと話し、ここでの話は外に漏らさないこと、メモを取るのはきみ自身のためで、ほかのだれにも見せないとはっきり断わっておこう。

3 肩のこらない中立的な会話を心がける。きみの役目は耳を傾け、確認のための質問をし、そして書き留めることだ。自分証拠を書き留める経験はすでにしてきたが、今度は速記者として、他の人の自分証拠を書き留めるのだ。ペンとメモ帳、そして二二一－三ページのリストを忘れずに用意していくこと。どの変数を入れ替えたか、それに対して相手がどんな反応を示したかを記録するためだ。

4 最初は、相手のテーマを明らかにしてもらうためにいくつか質問することから始める。次に、自分の中核的な問題を端的に要約すると思われる変数をあげてもらい、それをすべて含む問いを作ってもらう。たとえば、

- あなたは何について研究しているのですか（テーマ）。（注意：相手の答えが「いろんなことを研究してるからねえ」だった場合は、手始めに代表的なプロジェクトをひとつ選んでもらおう）
- 研究している内容をひとつの問いにするとしたら、どんな問いになるでしょうか。（注意：相手の答えが問いになっていない場合「「私は貧困の問題について研究しています」とか。八七ページ参照」、この演習では問いの形の問いが必要なのだと説明しよう。必要ならばCOVから例をあげるか、自分の研究から問いをひとつ選んでくれるように頼もう）

5 テーマについての相手の説明と完成した問いを書き留めておく。ここではゆっくり時間をとろう。問いを読みあげ、足りないところはないか尋ねる。このゲームの規則では、問いはできるだけ網羅的でなくてはならず、必要な変数はすべて含んでいなければならないと念押ししておく。問いはきれいにまとまっている必要はない。

6 その質問で大丈夫だとなったら、相手に代わってきみがひとつずつ変数を入れ替えていき、その結果を書き留めていく。「この変数が変わると心拍数に影響がありますか。つまり、興奮の度合いが変わりますか」「あえて推測するなら、それはなぜですか」。ここがこの演習の勘どころで、一番時間をかける部分だ。そして演習の目的を達するためには、どんなことも見逃さないよう直感レーダーを研ぎ澄ましておかなくてはならない。ここでも中立の姿勢は崩さないこと。ただし以下のような言葉が聞こえたら、すかさず口をはさんで礼儀正しく説明を求めよう。

- 抽象的だったり高度すぎたり、理論に偏りすぎていてわかりにくい言葉（いまXという概念が出てきましたが、それはこの事例に関しては具体的になにを意味しているのですか）。
- 専門用語、仲間言葉、あるいは略語（いまの言葉がわからなかったのですが、もっとふつうの言葉に言い換えていただけませんか）。
- その変数を替えたことで、前より興奮度が上がった・下がったと感じた理由を尋ねたら、相手が思わず新たな言葉を漏らしたとき。**その言葉を絶対に見逃してはいけない。**その言葉を声に出して繰り返そう。これは、人が選択の正当化を迫られたと感じたしるしであり、それと気づかずに真理を漏らしたのかもしれない。これはまた、じょうずな聞き手が研究者の最良の友となれる瞬間だ。

きみはいま〈反響板〉を務めているのだ。相手の言ったことを繰り返し、もっと正確に表現するようなうながそう（いま、あなたの問いに入っていなかった言葉が出てきましたが、それはあなたの研究の重要な変数ですか。もしそうなら、問いをどのように言い換えたらよいと思われますか）。

7 変数の入れ替えに対する相手の反応から、きみも相手も問題に肉薄していると感じたら、ギアを換えよう。きみの気づいた内容を相手に伝え、相手の興奮のパターンから推して、そこにどんな問題が想定されるか尋ねるのだ（この変数の入れ替えにあなたはこういう反応を示しました。この変数は替えてもよいということは、こういう事例にも関心があるということですよね。ただこちらの変数は替えてはいけないとおっしゃったので、これはつまりあなたの設問に対する中心的な変数だということですね。あえて推測するとしたら、この研究プロジェクトにおいて、あなたが関心をおもちの根本的な問題はなんだと思われますか）。

8 実りある楽しい会話になることを期待したい。いずれにしても、時間をとってくれたインタビュー相手に感謝を伝えるのを忘れずに！

よくある失敗

- 第４章のCOV演習のさいにあげたのと同じ失敗。入れ替える変数が似たようなものばかりで、研究プロジェクトの根幹に関わる変化がほとんどないなど。

- COVの目標と方法をインタビューの前にあらかじめ説明しておかない。
- 失礼になってはと気後れして、確認の質問や説明を求める質問を控えてしまう。
- ちゃんと記録を書き留めない。

最後に、インタビューをふり返って評価しよう。いまのきみの感想は？　きみと相手の両方にとって、今回のCOVはうまくいったか。思っていたよりやさしかったか、それともむずかしかっただろうか。インタビュー相手が新しい変数に引っかかったとき、きみはそれに気がついたか。きみはずっと中立的な姿勢を保つことができたか。同じ相手でもまた別の人でも、この演習をもう一度やってみたいか。

きみは間違いなくインタビュー相手について以前よりよく知るようになっているだろう。それどころか、相手が自分自身をよりよく知るのに役立ったかもしれない。きみから穏やかに詮索され、答えにくい素人っぽい質問を執拗にくりかえされることによって、相手は自分中心の研究者に一歩近づくことができたのではないだろうか。理想を言えば、相手の教師またはメンターになることこそ、最高の生徒になる方法だという楽しい発見もあったかもしれない。〈問題〉を中心に据えられるよう他の研究者を手助けするという習慣を身につけ、それによってきみは最高の形で自分自身を乗り越えていくのだ。

この演習を終えることによって、きみは大きな精神的飛躍を果たした。きみは分野特有の事例――分野の特異性や専門用語だらけの――と一般性のある問題とを切り分けてきた。問題はある分野という畑を切り裂いて、べつの畑こと分野にまで伸びているものだ。この精神的な変化によって、たんなる〈テーマの国〉としての分野の狭量な見かた――テーマが共通していない研究には関連性がないという、誤った考えかた――からきみは解放される。きみはいまでは、同じ分野に属するさまざまな研究者にとって真に重要なものがなんなのか、またそれが明示されているかどうかにかかわらず、ある研究の根底をなす問題をいかにして見つけるか、それを判断するテクニックを身につけたのだ（言うまでもなく、問題を持たず〈テーマの国〉に固執している研究に出くわすこともあるだろうが、そういう研究でも利用することはできる）。きみの反響板や、信頼する他の研究者の研究の動機となっている問題を、よりよく理解する能力をきみは身につけた。そしてきみ自身の探求について言えば、いまでは「テーマ」に収まる必要はなく、また収まるべきでもない理由は明らかだろう。

これは現在のプロジェクトに限った話ではない。きみはいま、ある分野を流れるように歩く方法を手に入れたのだ。同じ分野内に存在するべつの〈問題集団〉の関心事に気がつくようになり、自分中心であり続けながらも、分野のなかできみにとって最も有用な部分を見抜くさまざまなテクニックを身につけた。

この作業はもうこれで終わりということはない。なぜならきみの〈分野〉は静的ではないからだ。たえずメンバーが入ったり出たりしているし、新しい出版物が発行されている。またその気になって探せば、それまで存在を知らなかった先行研究がしょっちゅう見つかるものだ。

さて〈問題集団〉によってきみの〈分野〉を分類し終えたところで、次はきみの〈分野〉のメンバーとどうやって話をするか考えなくてはならない。

やってみよう――きみの〈分野〉に合わせて書き直す

目標

〈問題集団〉から知識を得たうえで、きみの〈問題〉をきみの〈分野〉に理解できる形で書くことを学び、またきみの〈問題〉を「〈分野〉の目」で見ることを学ぶ。

第4章では〈集団〉のために書き直した。〈分野〉の仲間言葉（あるいは専門用語）や暗号は、身内には容易に理解できても〈集団〉のメンバーに理解してもらうには言い換えが必要だから、〈集団〉のために書く場合は削除しなければならなかった。

今度は読者を変えて同じ作業を繰り返すことになるが、ただいくつか新しい目標がある。先に述べたように、〈分野〉のメンバーはほとんどきみの〈問題集団〉には属していないし、きみの〈問題〉に関心を持っていない。なのになぜかれらのために書くのか。言い換えれば、きみの〈問題〉を〈分野〉の目で見直してなんの役に立つのだろう。

　きみのプロジェクトを、きみの問題に関心を持っていない（あるいは持っていないと思っている）人々に説明すると、いくつかプラスの変化が起こるだろう。言うまでもないが、きみの問題の重要性について相手の考えが変わるかもしれない。人は木石ではない。議論や証拠によって説得できるし、そうすれば新しい味方ができる。またきみの研究を通じて、〈分野〉内にいた〈集団〉のメンバーがお互いを見つけられることもある。たとえきみの〈集団〉のメンバーにならないとしても、相手が別の探究のために問いを深化させるうえで、きみが力になれるかもしれない。いずれにしても、〈分野〉に変化を起こすことができるのだ。

　ここでの目標は、きみの書いたものが相手に通じるようにすることだ。計画書の最初の原稿を見直して、〈分野〉のメンバーが知っていそうにない、あるいはなじみのなさそうな用語にマーカーで印をつけよう。たとえば次のようなものがある。

- 概念および理論
- きみの研究の〈問題集団〉的側面に関わる重要な著者
- 〈集団〉のメンバー間の重要な議論や主張

- 人名
- 組織団体名
- タイトル
- 略語
- 時代区分
- テーマ

きみの〈集団〉のために仲間言葉を書き直した時と同じように、きみの（そして他の学者の）熱中の対象にマーカーで印をつけるのだ。

きみの〈分野〉に合わせて書き直すことには、他にも個人的な利点がある。第1章で、プロジェクトの初期段階では退屈はすばらしい教師になると述べて、きみの関心事を言語化・概念化するさいにどのように役に立つか例をあげて説明した。また、自分自身の退屈に中立的な態度で立ち向かうことの重要性についても述べた。Xに対する関心についてだれかに話している時、相手がXとの関連であげる話――A、B、C、D――がどれもこれも退屈でしかたがないと思っても、それで自分を責めてはいけない。それがどんなに重要な――傍点つきに重要なことでも、興味のないことに無理やり興味をもとうとしてはいけない。

ここでも退屈はきみを助けてくれるが、今回の助けかたは以前とちがう。きみの〈集団〉ではなく〈分野〉に合わせて書き直しているときには、残念ながら、きみの中核的な問いや問題について、あまり興味がもてない部分とか関連する論理とかにあえて踏み込まなくてはならない。そして退屈に遭遇するだろうが、それは思索者としてのきみが何者かとか、きみが本当に抱えている問題がなにかということをいっそう明確に把握する助けにはならない。今回出くわすのは、きみがすでによく知っているテーマや問いで、それがたんに恐ろしく退屈に感じられるだけだ。

これは避けて通れない作業で、その理由はいくつもあるが、ここではふたつあげておこう。

1　熱心な読み手はすぐれた研究者になる。そのような分野や問いに真剣に誠実に取り組むことは、自分の〈分野〉の仲間に対して、きみのとは異なる〈問題集団〉のメンバーとして、真剣に誠実に関わるということだ。きみはべつの課題に取り組まなくてはならない。かれらはきみの研究のこのような側面を「退屈」とは感じていない。かれらにとっては、きみの研究を手に取ったのも、きみの話を聞きに来たのも、どんな形であれきみと関わろうとしたのも、それが理由ということも大いにありうる。かれらはそういう問題を悩ましいと思い、興味深くて、長期的に（学者としての生涯をかけて、ということすらある）関わる価値のある問題だと思っているのだ。きみの研究のそういう側面を面白くないとか考える価値もないと切り捨てることは、これは想像がつくだろうが、かれらに対する大変な侮辱だ。人によっては、考えると夜も眠れないような問題をささいなことと片付けられたり、そもそも研究者を志した理由のすべてを否定されるようなものだ。極めて個人的な問題なのである。対照的に、これらの問いに誠実に向き合うことは、きみの〈分野〉の仲間たちがきみとはまったく異なる〈問題集団〉に属していることを認め、尊重することになる。

2

本気で取り組むことで、新たな研究上の問題を発見し、受け入れることにつながる場合がある。 ここで奨励する作業に真剣に取り組めば、きみは知的にも人間的にも成長できるだろう。ときどき――けっして常にではないが――「退屈な」問題に苦労して真剣に取り組んだおかげで、わずかながらきみに変化が起こり、ものの見かたが変わってくることがある。ときには、そういう問題がこれまでとは違う姿をちらと見せてくることさえある。まるで、それが自分のアイデンティティの根幹に関わると考えている集団の目を通して、その問題を見ているかのようだ。もっとよいのは、それらの問題を自分の言葉に「翻訳する」方法が見つかることだ。いままでとは違う言葉や表現に出くわし、そのとたんに、その問題が気になってしかたがなくなる。これまでずっと「退屈」だったのは、問題それ自体のせいではなかったと気がつく。たんに、きみにとってぴんと来る言葉で、その問題が表現されるのを聞いたことがなかっただけだったのだ。しかしそんな言葉を聞いてしまって、急に夜も眠れなくなってしまったというわけだ。

　これは忘れてはいけない――きみの最初の原稿（いや、五番目でも六番目でもいいが）がまだ内向きだったとしても、それはまったく問題ないし、自然なことだ。重要なのは、編集し書き改めるごとに着実に外向きにしていくことだ。きみの〈問題〉を明らかにし、門外漢の読者に基礎知識を与え、きみの〈問題〉に招き入れよう。きみの〈問題〉をかれらの〈問題〉にするのだ。きみを悩ませていることを相手に通じる言葉で説明して、読み手もまたそれに悩まされるようにしてやろう。研究に議論が必要なのは言うまでもないが、同じくらい必要なのは、きみの議論を理解するために知っておくべきことをすべて読み手に教えることだ。

反響板――きみの〈分野〉で〈反響板〉を探す

きみの〈分野〉の〈反響板〉は、きみの研究プロジェクト案に対して異なる視点をもたらしてくれるだろう。きみの所属機関に属していない人――上司ではなく、同業者としての善意をべつにすれば、きみの研究結果に対して個人的になんの利害関係もない人――に協力を求めることを考えてみよう。きみの言いたいことが同じ分野の仲間に伝わるかどうか、文章を読んでもらって意見を聞くこともできるし、きみが見逃していた資料を探すヒントを与えてくれるかもしれない。また、きみの一次資料（言わばシリアルボックスだ）について、〈分野〉の他のメンバーがどんな問いを立てて答えているか、予想するのを助けてくれるだろう。ここでもやはり、きみの研究提案書を見てもらって、文章でも口頭でもいいから感想を聞かせてもらおう。そして（わか

――っているとは思うが）お礼を言うのを忘れずに！――

きみの〈分野〉にようこそ

〈分野〉に属することにはそれなりの利点がある。〈問題集団〉の場合と同じく、分野内にも研究者のグループがあって、それぞれに忠誠心が育っているのがわかるだろう。好奇心、根性、そして寛容の精神が、生産性とやる気に燃料を与える成分だ。分野の利点のひとつは、その内部にあるさまざまな〈問題集団〉間の生産的な摩擦にある。かれらの悩みがきみの悩みになり、すると突然、きみ自身の研究が新たな次元に到達するのだ。そしてその瞬間、きみの分野の一部が急に立体的に見えてくる。

それでもきみはやはりはみ出し者だ。 これはつねに頭に入れておいてほしいのだが、きみの問いの範囲や大胆さや鋭さは、きみが最終的に取り組むことになる具体的なプロジェクトの規模には限定されない。というより実際には逆なのだ。問いが鋭くて影響が大きければ大きいほど、それはプロジェクトの範囲からはみ出していくだろう――しばしばきみ自身が予想もしなかった形で。

第6章

はじめかた

この本も終わりに近づいてきた。ちょっとほっとしているんじゃないかな。ここまでやってきたような絶え間ない自己検証は、だれにしろ気楽にできることではない。つらい作業だったが、それももうすぐ終わりだ。

ここでちょっと立ち止まって、これまでやってきたことを考えてみよう。きみはある問題を抱えていることを自覚し、それをもとにプロジェクトの第一段階まで漕ぎつけた。資料を見つけ、他のだれにも思いつけない問いを生み出せるようになった。自分の〈問題〉をつねに中心に据えながら、さまざまな研究者のコミュニティと関わる方法を学んできた。自分の〈集団〉を発見した。自分の〈分野〉を探究し、それと関わってきた。自分の〈問題〉を文章化し、また〈集団〉と〈分野〉両方に合わせてそれを書き直してきた。

あとはなにをしたらよいのだろう。

書くことだ。

もっと具体的に言えば、**きみが作りあげてきた自分の中心から書くことだ。**狭い意味での自己ではなく、ここまで学んでくるあいだに、育て、発見してきた拡張された自己から書くのだ。自分の中心を見つけたのだから、それを中心に据えて書きなおすときだ。

忘れてはいけない——きみの中心は、外部の敵を追い払い、内部の味方を守るために作られた、なにかの軍事基地や要塞ではない。また地図上の場所でもない。研究者としてのきみの中心は重心であり、前進し変化しつづけているあいだも、きみがずっと自分の二本の足でまっすぐ立っていられるのはそのおかげだ。重心を保つということは、安心して自分自身でいられるということだ。重心がしっかりしていれば、研究という旅のあいだもつねに冷静さを失わずにいられる。旅の途中で道に迷ったり、衝撃を受けてバランスを失ったり、いっとき自分を見失ったりすることがあるかもしれない。しかしきみは、研究の中心にある問題を発見しているのだから、ことあるごとにそこに立ち戻ることができるだろう。

自分の中心が見つかれば力が得られる。自分中心の研究者であるということは、たんに興味関心を持っているとか興味深い研究をするとかいうことではない。研究を続けていれば選択を迫られる場面があるが、そういうときに自信を持って選別することができるということ、そしてまた自分の時間をどう使うか賢い判断ができるということでもある。本当にやる価値のあることはなにか、骨の髄から知っているということだ。今月中にこのプロジェクトをひとつ終わらせようというだけのときでも、あるいは一生かける価値のある研究をしているときでも、研究をしていれば数々の有望そうなアイディアや面白そうな可能性の中から選択を迫られるときが来る。なかにはきみの中核的な問題に関わるものもあるだろうが、たいていはそうではないだろう。あれやこれやのいかしたアイディアを思いついて褒められることもあるだろうが、自分中心の研究者であれば、そのようなさいに次のように自問自答することで対応できる。確かにこれは面白そうだ。しかし私の〈問題〉の一部だろうか。中心を持たないもうひとりの自分なら、わけもわからず飛びつくかもしれないが、自分中心の研究者なら、輝かしいアイディアや派手な思いつきに「ノーサンキュー」と言うことができる。良さそうなアイディアが目につくと、中心を持たない研究者は片端から追いかけたくなってしまう。中心を持っていれば選別ができるのだ。

　というわけで話を戻すと、きみは自分の中心を見つけるというすばらしい作業をすべて終えてきたのだから、本書最後の演習はそこから書くということだ。

心配はいらない。ただ書くだけだ。

最後まで来て、さあこれから書きましょうと言われるのだから、これは恐ろしく興ざめに聞こえるかもしれない。ほっとしたのもつかの間、不安どころか恐怖すら襲ってくる。だれでも知っているとおり、書くのは「むずかしい部分」なのだ。それに、本書の演習を済ませたと言っても、従来の論文のあるべき部分をワンステップずつ完成させてきたわけではない。結論はおろか序論すら書けていない。人に見せられる文章などほとんど一文も書けていない。脚注だってまだひとつも書いていない。なにひとつ書けていないのだ！　本一冊ぶんの演習をすべてやってきたのに、いまになってさあゼロから書きはじめろというのか!?

ほんとうにそうかな。**じつは、きみはこれまでずっと書いてきているのだ。**

これまでにどれだけ書いてきたか振り返ってみよう。それなりに時間を費やして、本書の演習をほとんど済ませてきたとすれば、いまこの瞬間、きみのノートあるいはハードドライブには以下のようなことがすでに書き込まれているはずだ。

- きみのテーマに関する検索結果のうち、目に飛び込んできたもののリスト。また、それが気になった理由に関する考察も添えてある。
- 同じテーマに関する検索結果のうち、退屈だと感じたもののリスト。これにもなぜそうだったのかというきみの考えが添えられている。
- ある一次資料に関する「ささいな」事実関係の問いのリスト。

- それらのささいな問いのもとになる思い込みのリスト。（すなわち、それらの問いの「前提」）
- 改善した検索語に基づく（きみの「ささいな」問いに出てきた言葉を用いた）一次資料の検索結果のリスト。
- 「シリアルの箱問題」の結果。つまり、きみの選んだ一次資料に関するさまざまな問いのジャンルと、きみが次に探そうと思う一次資料に関する数々のアイディアを書き込んだワークシート。
- 参考文献または二次資料のリスト。〈問題集団〉および〈分野〉の両方から。
- 想像上の理想的な一次資料に関するさらに踏み込んだブレインストーミングの結果。それをどのように使うか、どこで見つかりそうか。
- きみの性格など、さまざまな決定要因に合わせてプロジェクトを立案するための意思決定マトリックス。
- 研究計画書の最初の草案（固有名詞、略語、専門用語など、きみの〈分野〉のメンバーにしか通じない言葉だらけの）。
- 研究計画書をプリントアウトして、仲間言葉のすべてにマーカーで印をつけたもの。
- 〈問題集団〉に通じるふつうの言葉で書き直した研究計画書。

- 「変数をひとつ入れ替える」演習の結果を書き込んだ用紙。改善した問い、その問いの入れ替え可能な要素と入れ替え不可能な要素のリストを記載したもの。
- 「前とあと」演習の結果を書き込んだ用紙。いま取り組んでいる事例が、きみの〈問題〉に関わる大きな枠組みにどのように当てはまるか考察したもの。
- 〈反響板〉に対する「変数をひとつ入れ替える」のインタビューで作ったメモ。
- プロジェクト案を作りあげていくさまざまな段階で、〈反響板〉からもらったアドバイス。

さらに、きみの琴線に触れた一次資料や二次資料を読み進めるさいに、以下のようなことも済ませている可能性が高い。**これらもすべて文字にして残してある**はずだ。

- ブレインストーミングの結果
- 概要
- 電子メール
- 書籍または論文に、下線を引いたりマーカーで印をつけたり余白に書き込みをするなど
- ナプキンや持ち帰りのメニュー、地下鉄時刻表への走り書き

- テキストメッセージ
- ソーシャルメディアへの投稿
- ブログの書き込み
- やることリスト
- 録音

これはすべて書いてある。すべて書いてあるのだ。

しかも、自分のアイディアを書き出して、磨きをかけたりまとめたりする作業をもう始めている。また第一部で行なった内省のみに基づいて研究計画書も書いている。そして、共通の問題を中心に集まるより広いコミュニティ、すなわちきみの〈問題集団〉と接触するために、かれらに合わせてその提案書を書き直した。また自分の〈分野〉のためにも書き直し、そのなかのさまざまな〈問題集団〉を渡り歩いて、きみのプロジェクトが他の人々にとっても意味があると説明した。要するに、まだスタート地点に立っていることになっているのに、きみはもう何度もプロジェクトを書き直してきたのだ。

「ちょっと待って」ときみは言うだろう。

「それはほんとうに書いたうちには入らない！　せいぜい「メモ書き」か「記録」か「下書

き」がいいところだ。手もとにあるのはほとんどが断片的なメモと、無数の問いだけだ。いくつか引用文を書き写したし、新たな事実や資料、それに大まかな計画書ぐらいはあるかもしれないが、まだ論文じたいは書きはじめてもいない」

いいや、きみはたんに「はじめる」以上のことをすでにやっている。つまり、研究の次の段階への用意をしたのだ。その次の段階でも、次の次の段階でもこれは同じだが、必要なのはまた始めることだ。

だから始めよう！

断片的なメモを集めて、それを完全な文章、そして段落にまとめ上げていく。

引用文を原稿に書き入れて、それがきみの研究上の問題にとってなぜ重要なのか書き出そう。

これまでに作ってきた数多くの自己省察を見直し、きみの研究の底流にある「問題」を、説得力のある言葉で表現していると感じる文章をメモのなかから見つけよう。それを計画書やいま書いている原稿に追加する。

コピー&ペーストしてきた書誌データ――もうずっと前に目に飛び込んできたやつ――を膨らませて、完璧な形の脚注や参考文献のリストを作成しよう。

このような作業は、創造的な研究の一部をなしている。これらは、研究論文や論説や書籍を作る原材料だ。乱暴な言いかたをすれば、映画とは撮影して編集した映像だ。絵画は、ものの表面に絵筆で色を塗っていったものだ。本は、単語と文章と段落、それに注と図の集まりだ。そして間違いなくきみは、きみの作った単語の集まりをたえずよくしていくことができる。もっとわかりやすく、説得力があって、経験に基づいていて、厳密で、エレガントな文章にしていくことができるのだ。これは憶えておこう——きみの目標が「書くこと」であるならば、ペンを持って紙に向かうこと、あるいは指をキーボードに置くことは、つねにその目標に向かう一歩なのだ。

文章を書くのは、泥臭い汚れ仕事であり、でたらめで支離滅裂な作業だ。

そういうわけだから、自分が生み出してきた成果を見返して、ここまでずっと書いてきた自分を褒めよう。つねに明瞭で格調高い文章を書いてきたとはいかないだろうが、それでもこれまで書いてきたものは貴重な原材料になる。自分で書いた文章をすべてふるいにかけて、どれを捨ててどれを残すか選別しよう。残したものもほとんどは手直しが必要だろうし、ほぼすべて書き直すことになるだろう。いま手元にある断片的な文章を出発点に、推敲され構造の整った文章からなる段落を作っていくのだ。

つまり、いよいよ「書きはじめる」ときだというのは実際には、すでに書いてきたものをすべて集めて、ふるい分け、選別し、構成を整え、意味の通る文章に組み立てていくときだ、という意味なのだ。

やってみよう――「第0稿」を作る

目標

これまで〈自分中心研究〉で作ってきたさまざまな文章をすべてまとめて、ひとつの文書にする。

ここで作るのは「第0稿」であって、新たにどっさり書くことが必要な「初稿」ではない。つまり、いままで書いてきた文章をすべて、ひとつの電子的ファイルにまとめるだけでよいということだ。

ここでまとめるべき文章は以下のとおり。

- **電子的なメモ**　パソコンやスマートフォン、タブレットなどを使ってメモをとっているなら、さまざまな場所のさまざまなファイルにさまざまなフォーマットで保存されているだろう。それをコピー&ペーストして、〈第0稿〉のファイルにまとめる。これには、第3章で書いた研究計画の原稿のほか、それを〈集団〉や〈分野〉に合わせて書き直したものも含む。それぞれをどこに貼り付けようかと気にする必要はない。どこでも適当に貼り付けておこう。いまは構成はどうでもいいのだ。

- **手書きのメモ**　ルーズリーフ用紙、メモ帳、あるいはナプキンなどにメモをとっているなら、それを一言一句そのまま〈第0稿〉に書き写そう。文章を直したくなっても、いまはまだそのままにしておくこと。
- **下線、ハイライト、余白の書き込み**　これまでに印をつけてきた一次資料や二次資料をまた引っ張り出して、書き込みやメモを電子的ファイルに書き写す。どの資料に関するメモかわかるように、書誌情報も忘れずに記録しておこう。

これらのメモ書きなどを〈第0稿〉にまとめるさいは、次の作業もいっしょに行なう。

- **整理（ただし面倒でない場合に限る）**　断片的なメモや考察を書き写すとき、無意識のうちに電子的メモのスペルミスを修正したり、断片的なメモを膨らませてちゃんとした文章にしたりすることもあるだろう。ファイルにまとめる作業の足を引っ張らないなら、それぐらいは構わない。ただこれは必須ではない。あとでいくらでも時間はある。表現を変えたり、推敲したり、膨らませたり、発展させたり整えたりするのに時間がかかって煩雑になってきたら、この〈第0稿〉はたんに、文章を機械的に一箇所に集めたファイルにすぎないということを思い出そう。これまで書いたものを同じフォーマットでひとつのファイルにまとめる、ただそれだけでよいのだ。

● **「自分証拠」を書き留める**　この「まだ推敲しない」ルールにはひとつだけ重要な例外がある。書き写してまとめる作業のあいだも、自分自身を中心に据えて「波長を合わせる」のを忘れてはいけない。きみはいまも心電計につながれているのだ。以前に書いた文章を読み直すさいも内省のテクニックを忘れないように。以前に書いたメモをまとめているとき、新しい考えや疑問が湧いてこないか注意深く観察し、もし湧いてきたらじかに〈第0稿〉の電子ファイルに書き込もう。これは足を引っ張ることにはならない。どんなときも、この作業には時間を費やす価値があるのだ。

この作業が終わるころには、何千何万ワードものファイルがひとつできているはずだ。中身はとりとめがなく、文法的にも不正確で、前後のつながりもなく、構成もでたらめだろうし、論理の穴や根拠のない憶測だらけかもしれない。

しかしそれはそのままにしておこう。

これは最終原稿ではないのだ。というより、むしろ意図的にめちゃくちゃで支離滅裂にしておくほうがよい。なぜならそのほうが、文章書きの二大障壁をまとめて乗り越えやすくなるからだ。その二大障壁とは、

1 評価に対する不安

2 真っ白な原稿用紙に対する恐怖

のふたつだ。これ以上はないほどめちゃくちゃな〈第0稿〉を作ることで、ちゃんとしたものを書かなくてはという強迫観念――筋の通らない、不正確で舌足らずの文章を書くことに対する恐怖――を克服することができる。とうてい人に見せられない、でたらめもいいところの文書を作ると、どういうわけかこの恐怖を乗り越えることができるのだ。そんな文章を書いたからといって、この世が終わるわけでもないと気が

つくからだ。

同様に、白い原稿用紙に対して恐怖心を抱くときがなくなる。恐怖心が起ころうにも起こりようがない。真っ白いページを埋めるのにふさわしい、立派なことを書かなくてはならないという恐怖は消え失せる。コピー&ペーストによって、どこを開けてもファイルのページはテキストで埋まっているからだ。支離滅裂なテキストかもしれないが、テキストはテキストだ。〈第0稿〉は、原稿用紙に対する恐怖を克服するのに役立つ。「不安がなかったらどんなに楽だろうか」という問いに、〈第0稿〉は答えてくれる。文章書きの恐怖やスランプがすべて解消されるわけではないが、最初に直面する大きな恐怖が割り込むすきはなくなるのだ。〈第0稿〉はどんなにめちゃくちゃであっても、以下の内容は含まれているはずだ。

- 決定的な証拠
- 確たる基盤となる一次資料および二次資料の材料
- 一次および二次資料で見つけた引用文
- 重要な数字
- きみの目的にとって必要不可欠な問い

どれだけでたらめに見えても、きらりと光るものも含まれているものだ。おそらくはきみが思っている以上に。

自分の言いたいことを理解する——〈第1稿〉を書く

これまで書いたものをすべてまとめたファイルを作成したところで、いま重要なのはその〈第0稿〉を〈第1稿〉に移行させることだ。ふるい分けやグループ分けをし、文章を整理し、段落分けし、タイトルを考えるなど、編集作業をおこなうわけである。この作業のさいには、有効性保証付きの先人の知恵を肝に銘じよう——**文章は直せば直すほどよくなる、**というあれだ。

すでに存在する思考というか、首尾一貫していて表現されるばかりになっている考察を、そのまま形にすれば文章になるという場合もある。しかし多くの場合はそうではない。**文章を書くのは、その最も根本的な意味において、外面化の行為であり、疎外の、発見の行為である。**文字どおり自分の考えを外面化させる作業なのだ。自分の頭や身体のなかにあるものを、見慣れない新しいものに変えることができれば、それを新たな目で見なおして改善することが可能になる。「紙に書き出す」というのは、自分のなかにあるものを目の前に引っ張り出すということだ。それができれば、自分の頭でそれと戦って批判的に考えられるようになる。自分で自分の目を見ることはできない。その目でものを見ているからだ。だから自分の前にそれを引っ張り出さなくてはならない。だからそれを自分で自分の心について考えることはできない。その心でものを考えているからだ。だからそれを自分の前に引っ張り出して、外面化して観察することが必要だ。そしてそのあとでまた内面化し、それをまた外面化させて、これを何度も何度も繰り返す。禅問答のように聞こえるが、〈第2稿〉、〈第3稿〉、〈第4稿〉と改良していくときには、じつはこれが重要な鍵を握っているのだ。

これがじつはものの書きかたなのだ。

これがじつはものを書くということなのだ。

自分中心の研究者として、きみは自分自身の共著者になる力を身につけてきた。アドバイスはふつう他の研究者に対してなら簡単にできるものだが、それと同じぐらい簡単に、自分自身に対してもはっきりしたアドバイスができるということだ。同僚やクラスメイトや友人の曖昧な文章を読んで、水面下の議論をたやすく見てとることができるように、一度に一稿ずつ、自分自身についてそれとまったく同じことができるというわけだ。

これは簡単なことでもない。努力が必要だ。繰り返し真剣に内省しなくてはならない。いままでは、きみは自分の研究対象をよく知っているはずだ。そしてさらに重要なのは、その研究対象についての自分の考えかたについてもよく知っているということだ。これから取り組むべき問題は、そのふたつのあいだに乖離もしくは不一致がないかチェックし、もしあるならそれに対してどうすればよいか判断することだ。

その判断を下すさいの鍵になるのは、例によって、**プロジェクトを評価・改良・拡張するとき、自分が自分についてどんなことに気づいているかに気づくことである。**

まずは、〈第0稿〉を一語一語声に出して読むところから始めよう。そのさいに、本書をここまでやってきて身につけた自己省察のテクニックを利用しよう。**自分の文章を読みながら、自分自身を注意深く観察するのだ。**自分はいま退屈していないか。論旨が見えなくなっていないか。気づいたことがあればメモしておこう。ある言い回しのところで、うれしくて笑いがこぼれたりしないだろうか。そういうところにも気をつけよう。この文章、あの段落と読んでいるときに、次になにを書けばよいか、あるいはどんな資料を探したほうがよいと思いついたりしないか。その箇所にメモを書き込んでおこう。著者（つまりきみ）が証拠に基づいて核心を突いている箇所で、満足感が湧きあがってくるだろうか。それとも、なかなか本題に入らなくて不満を感じたり、それどころか腹が立ってくるようなところはなかっただろうか（しまいにはちゃんと言いたいことを言っていたとしても)。しょっちゅう話があちこちに飛んだり、べつの話題に流れたりしていないか、議論が適切なペースで展開されているか。

読むときは現実的な条件で読もう。一般の読者が、論文や記事や本の一章を読むときにやりそうなことをする――つまり休憩するということだ。途中で読むのを中断して、メールをチェックしたり、お茶やコーヒーを入れたりしてから、戻ってきてさっきやめたところからまた読みはじめるわけだ。なんの話だったか思い出せるだろうか。論旨の流れは明快か。言葉の使い方はどうだろう。要するに、きみと関係のない一般読者が読むのと同じように自分の文章を読んで、きみの文章に最後まで読ませる力があるか試すのだ。

やってみよう――「0」から「1」へ

目標

「第1稿」――〈極めて〉予備的な構造感のある文書――を作成するため、〈第0稿〉にまとめた文章について、初回のふるい分けとグループ分けと編集をおこなう。

この変形のためのステップを以下にいくつか紹介しよう。

1　当然まとめるべき部分をまとめる。 たとえば、同じ人の文章をすでに三箇所書き写しているとしよう。しかし別々のときに書き写したため、〈第0稿〉のあちこちに散らばっている。こういうときはカット&ペーストして同じ場所にまとめておく。同様に、ある同じ人物、事実、学説などに関するメモが、〈第0稿〉のさまざまな場所に散らばっていたりするかもしれない。そういうものも一箇所にまとめておこう。せっかくまとめても、何か理由があってまたばらばらにすることになるかもしれない――三つの引用文を最終原稿の別々の場所に置きたいとか――が、経験則としていまのところはひとつにまとめておくほうがよい。

2 書誌情報はすべて文書の末尾に移す。

これは「似たようなものはまとめる」という最も簡単な作業のひとつだ。メモのなかにある書誌情報を、すべてカットして文書の末尾にペーストするだけである（最終的には、参考文献、引用文献、あるいは書誌情報として作品の末尾に置かれることになるのだから）。本文中に引用を入れたり、脚注、巻末注を入れたりする段になったときも、このように一箇所にまとめてあったほうが便利だ。

3 まとめられそうな部分を試しにまとめてみる。

別々のメモになんとなくつながりがありそうな気がするが、そのつながりがそれほど明白ではないとしよう。たとえば断片的な三つのメモが、きみの〈問題〉を構造化するのに使えそうな、ひとつの論旨に関わっているように思えるとか。これらのメモは、論文の一節あるいは一章の中核をなすことになるかもしれない。そういう場合はカット&ペーストして文書の同じ部分にまとめ、どうなるか見てみよう。そのまとめかたに一貫性があって面白いと感じられるだろうか。その場合はさらに発展させてみる。逆に無理があると感じられる場合は、べつの論旨によるグループ分けを試してみるか、あるいはいまのところはそのままにしておいて、もっと考えが整理されてから、あるいはもっと多くの一次資料や二次資料にあたってからまた考えればよい。

4

文章の塊を並べ替えるときは「自分証拠」に注意する。試しにグループ分けしていると、やがて予備的な構造のようなものが見えてくる。こうなると、原稿はもう完全にばらばらでもなければでたらめでもない。だんだん形が整ってくる。この作業を進めるさいには、自分証拠を見落とさないように注意しよう。作業中に浮かんでくる新しい考え、問い、表現、思いつきに耳を傾け、それを〈第1稿〉に必ず書いておくこと。また、それをどこに置くのが最も適当か考えよう。その考えを呼び起こした、当の論旨を中心とする塊の近くに置いてもいいが、置き場所がどうも思いつかないなら、すべてまとめて〈第1稿〉の冒頭あるいは末尾に置いておけばよい。そこはなんでも入れてよい「その他フォルダ」のように扱っておいて、どう処理するかはあとで考えよう。

5

可能な場合は、文章の塊をだいたいの順序に並べる。文書のパーツの順序が正しくないと思える場合は並べ替えてみる。たとえば、同じ人物による三つの引用文をまとめた部分があるとして、そのすべてが一九二〇年代の文章だとしよう。それで気がついてみると、その直前には一九六〇年代の作品からの引用が置かれていたとする。この場合はなにも考えずに順序を入れ替えよう。必要ならあとでまた並べ替えてもよいが、現段階では経験則として年代順に並べておくのがよい。同様に、文章の塊三個がすべて共通の題材を扱っているのに気がついた場合は、その三個をまとめて独自のセクションをたて、どんな感じか見てみよう。どんな「並べかた」あるいは「順序」がよいのかはっきりしないこともあるが、いまのところは気にしなくてよい。ただし無理はいけない。その文章の塊がどこに「属している」か明らかな答えが見えない場合は、とりあえずそのままにしておこう。

6 文書のセクションにタイトルをつける。

一フレームも撮影しないうちに映画にタイトルをつける話を憶えているだろうか。研究を進める際はこの種の予想は継続的に行うもので、そのことはいま書いている文書のタイトルはもちろん、その中のセクションのタイトルについても言える。というわけで、テキストの断片をグループ化する作業がかなりの程度進み、そのグループがまとまってセクションができてきたら、次のステップではそのセクションにタイトルをつける。そうすることで原稿作成がより効率よく進められるだけでなく、考えを整理するのにも役立つ。

7

物書きとしての声を開発する。きみの使う言葉は正確か、それともぼんやりしているだろうか。語彙は豊富か、それとも同じ言葉の繰り返しが多いか。論旨は明快か、わかりづらくないか。使用する語句や決まり文句、アイディアからアイディアへ移行する手法がいつもほとんど同じだったりしないか。〈第1稿〉は、物書きとしての声について考えはじめるよい機会になる。比喩表現によって、自分でも気づいていなかった議論に関わることになったりする。たとえば歴史学者は、「成長」「萌芽期」「進化」「根幹」のような生物学的な比喩表現を好んで使う（ときには過剰に）。駆け出しの研究者は、自分の選んだ分野の権威を模倣しようとして、そういう用語を不用意に使いがちだが、経験ある研究者でも無批判に使ってしまうことがある。ここで重要なのは、そのような用語は「中立的」ではないと気がつくことだ。言葉は無意識のうちに（サブリミナルだとしても）思考を形作り、ゆえに研究の方向性や結果にも影響を及ぼす。分野特有の用語を無批判に使っていないかチェックし、もし使っていたらべつの言葉に言い換えよう。

8

略語を使わないよう注意。〈集団〉および〈分野〉に合わせて二度の書き直しを経験してきたが、用語の正確さと明晰さを高める作業は終わりにはほど遠い。一度チェックしたぐらいで、専門用語をすべて見つけられれば苦労はしない。さらに重要なのは、新たに文章を書くごとに、自分の題材や目的をはっきり伝えるどころか、むしろあいまいにしてしまう用語を使う癖がつい出てしまうということだ。書き直し作業のあいだはつねに、仲間言葉に目を光らせていなくてはならない。

9

脚注、巻末注など、必要な書誌情報を追加する。情報源を系統立てて記録する作業を開始する。書き写した引用文をそのまま使うつもりがあるなら、この段階で脚注を付け加え、完全な書誌情報を書いておこう。プロジェクトを通じて用いる記載法をひとつ選び、最後まで一貫してそれを用いること。研究という長い道のりの最後に、めちゃくちゃな注を何時間も、ときには何日もかけて整理しなくてはならない――こんなに疲れることはない。

完璧は退屈

本や音楽、映像、美術作品は、ときに「完璧」と称賛されることがある。だが実際のところ、もしほんとうに完璧だったら死ぬほど退屈だろう。「完璧な」ものは他者を必要としない。強力な顕微鏡をもってしても、そのなめらかな表面には傷ひとつ、足がかりひとつ見つからないだろう。つまりどこにも「とっかかり」が見つからず、なにも言うべきことはなくなってしまう。それ自身のかけがえのない自己さえあれば、それが存在するのに他者は必要ないのである。研究や文章でもそれは同じだ。きみの作品が完成の瞬間から「完璧」だったら、だれもなにも言えなくなってしまう。付け足すところも差し引くところも、反論すべきところも観賞すべきところもない。手がかりがないのだ。水も漏らさぬ鉄壁の守りで、批判も改善も思考すらはねのける。それはほんとうに望ましいことだろうか。

完璧だと感じさせる芸術品や研究や創造物に出会う幸運に恵まれたら、おそらくこう気づくだろう——「完璧な」ものはその作者によって完璧なわけではなく、それを読む者、見る者、聞く者としての他者によって完璧となるのだ。

つまり**研究の目標は、他者に賞賛されるすばらしい作品を生み出すことではない**。継続的な、たえず更新される改善のプロセス——たゆみなく向上し、完璧を目指すプロセス——を生み出すことが目標なのだ。

研究プロジェクトは、最初からしっかり組み立てられていることもあれば、穴だらけのこともある。スポンジを考えてみよう。他のものと接触しないうちは、スポンジは穴だらけだ。しかしいったん外界と接触すると、別のなにかから供給される物質がしみ込んで、その穴は満たされる。

研究プロジェクトは完璧ではありえない。しかし、限られた数の具体的な問いを立て、それに答えることに加えて、知的なスポンジの形をとり得るように構築・実行することはできる。つまり、それを見る者、聞く者がかれら自身の物質――かれらの問いや〈問題〉や事例――で満たすことのできる隙間が、その構造内にたっぷり残されているということだ。きみの研究を完璧にするのは他者に任せよう。他者のために入り口を残しておこう。

もう想像はついているだろうが、〈自分中心的研究〉の目標、何度も繰り返した内省の目標は、そのような完璧さを生み出す条件を整えることだ。冒頭で言ったように、だからこそこの本を完成させるのはきみなのだ。きみの力があって初めて、本書は完璧になるのである。

反響板——自分自身と対話する

いまではきみは、十分に自分中心の——この言葉をよい意味で使っているのはもうわかっていると思う——研究者となって、自分で自分の反響板を務められるようになった。本書を通じて、私たちは数々のアドバイスをしてきた。そしておそらく、ひとりあるいは何人かの外的な〈反響板〉からも、きみはアドバイスを受けていることと思う。ここでは、〈自分中心的研究〉のどの部分がきみにとって有益だったか評価することにしよう。

とはいえ、外部のアドバイスがこれからは必要ないということではない。それどころか、いまごろきみは〈問題集団〉としょっちゅう接触し、また自分の〈分野〉にいっそう深く関わるようになっているはずだ。

メモを取り出し、この本の目次にもう一度ざっと目を通す。メモと目次を左右に並べて見比べつつ、〈自分中心的研究〉のどの部分がこれまで最も役に立ってきたか、そして今後はどの部分が最も役に立ちそうかを考える。

ここでは次のように自分に問いかけてみよう。

- どの演習をまたやりたいか。
- 自分の目的に合わせて、何らかの修正を加えたいと思う演習はどれか。
- どの演習をさらに改良できると思うか。
- どの演習が退屈か、またその理由は？
- どの演習をほかの人々に紹介したいか。また、この演習がだれの役に立つと思うか。
- 〈分野〉のメンバー、あるいは〈問題〉を共有する人々と私との関係について、どの考えかたが私にとって最も有益だったか。
- 最初にどのメモをもっとふくらませたいか、あるいは書き直したいか。

自分中心的研究の世界へようこそ

〈自分中心的研究〉を経験したことによってきみは生まれ変わった。たんに「スキルが増え、成果を積み上げた」だけではない。たしかに新たなスキルを身につけたし、たしかにここまでに文章を書きためてきた。そしてたしかに研究プロジェクトの入り口にたどり着きもした。しかしそれと同じくらい重要なのは、いまでは自分中心的研究者として鍛えられ、以前とは気質から変化したということだ。この心的態度によって、きみはよくある誤解や恐怖症、抑制や不安から自由になった。これらはひじょうに多くの研究者仲間にとって足枷となっているものだし、そもそもそのせいで研究者になれない人もいるぐらいだ。きみは中心を持つと同時に機動性も備えていて、さまざまな分野の研究者仲間と、自信と洞察力と冷静さをもって相互作用することができる。他の研究者の業績にたじろぐこともなく、また自己研鑽に終わりはないと知ってひるむこともない。

きみの前にはすばらしい人生が開けている。

おわりに　研究者としての未来、次に待つものは?

本書を読み進めるうちに、研究とはなにか、どのように実行すればよいかについて、新たな視点が得られたことだろう。また、研究を習慣にする——つまりふだんの生活の一部とする気にもなってきたのではないだろうか。きみはいま、新たな研究プロジェクトに乗り出そうとしているだろう。しかし、いま手がけているプロジェクトの先にも目を向け、本書で学んだ原理や戦略を他の問題にも応用する未来をも思い描いてもらえればと思っている。

きみの前にはなにが待っているのだろう。その〈分野〉でべつの講座を受講することになるかもしれないし、本職の研究者になるのかもしれない。いずれにしても、研究の道を進むならありとあらゆる可能性とチャンスが待っている。

注意してもらいたいのだが、これは**学問的な研究にかぎった話ではない**。研究と言っても千差万別だ。研究者は豊かで実り多い日々を、批判精神を持って生きている。これが正しいと伝えられてきた常識を、そのまま受け入れてよしとすることはない。研究者気質とはたんに懐疑的なのとはちがう。なんでも頭から疑うのは結局のところ、なんでも鵜呑みにするのと同じくらいあてにならない。研究者は懐疑的であると同時に、疑いを具体的な問いに変換して解答を探すという、困難な課題をみずから引き受けている。研究者は、他者の主張をストレステストによって評価する能力を持っているが、それはかならずしも事実をすべて記憶しているからではなく、そのような主張がそもそもどのように組み立てられるかを知っている――より突っ込んで言えば、問いがどのように立てられ、鍛えられるかを知っているからなのだ。

やってみよう――新しい問題を見つけて、新しいプロジェクトを始める

目標

研究者としての未来を計画する手始めに、自分にとって重要な問題はほかになにがあるか考え、それをどのようにして研究プロジェクトに持っていくか思い描く。

自分の中心が見つかると、大きな力が手に入る。〈問題〉じたいが変化していると き、あるいはおそらくきみの心中で新しい問題が形を取りはじめたときに、それと気

づく能力だ。本書では、これまでの例や演習はすべて「ひとりにひとつの問題」という前提に立って取り上げてきた。簡単にするために、学者はみなひとつの問題に駆り立てられて仕事をしているかのように話してきたわけだ。同様に、問題についても数学の定数のように扱ってきた。つまり、時間が経っても変化しない独立の変数として扱ってきたということだ。

これには正しい面もある——問題というものはじっさい、何年も、ときには何十年もそのまま居座りつづけたりする——が、そうは言っても決して変化しないという意味ではないし、またひとりの学者が複数の問題に取り組むことがないというわけでもない（しかしながら、先のアドバイスをくりかえすなら、自分の「問題」を数えあげたら何十と見つかった場合は、それはおそらく「関心」とか「好奇心」であって、本書でいう意味での「問題」ではないと思われる。その場合は、第2章を復習するとよいかもしれない）。

問題が変化するのは人が変化するからだ。人生経験を重ねるにつれて、〈問題〉は変容していく。完全に消え失せることもある。消え失せないまでも、かつての影響力は影をひそめることもある。つねに理由は明らかとはかぎらないが、かつて私たちに大きな影響力を及ぼしていた問題が、あとから振り返ると大したこととは感じられなくなったりする。そして新たな問題（ひとつとは限らない）が形をとってくる。その問題が頭にこびりついて夜も眠れず、来る日も来る日も、何年間もぶっ通しでつきまとってくる。くりかえしになるが、ここで言っているのは、生産的で研究の動機となるような問題のことである。個人的な悩みであるにもかかわらず、批判的な独立の視点から分析・評価できる問題のことなのだ。

海面下の構造プレートの動きのように、長期にわたる知的問題の消滅、そして新たな問題の形成は、なかなか検知しにくかったりするものだ。しかし自分中心の研究者であれば、そのようなかすかな動きを大半の人々よりよく感知できる。以前のきみなら見過ごしていたような変化でも、鋭敏に感じとれるようになっているのだ。

というわけだから、それを念頭において、第二の問題を特定して新しいプロジェクトに着手することを考えてみてもいいのではないだろうか。

これは奇妙なアドバイスに聞こえるかもしれない。なにしろ、最初の研究プロジェクトが始まったばかりなのだ。しかし、プロジェクトのささやかなレパートリーを広げていくのに早すぎるということはない。もちろん、現在のプロジェクトをきみは今後も続けていくだろう。しかし、プロジェクトその一を中断する必要が生じたらどうする？　あるいはプロジェクトその一が完了したら？　いまのうちに先手を打って計画を立てはじめよう。

「はじめに」で言ったように、研究は直線的に進むものではない。これはまた、一度に複数のアイディアやプロジェクトを抱えることがある——というより、抱えることが望ましいという意味でもある。プロジェクトその一に疲れ切ってしまったとか、あるいはなぜか今週はやる気が起きないということもあるだろう。そういうときは、プロジェクトその二に目を向けるとよい。きみを悩ませるべつの問題を取りあげて、その解決に向けて仕事をしているにもかかわらず、まるでちょっとした休暇をとっているように感じられるだろう。

またそれを言うなら、ひとつの問題が複数のプロジェクトに現われることもある（というより、実際に現われることが多い）。プロジェクトその二が、自身の中核的な問題に関連していると気がつくこともあるだろう。関連が明らかな場合もあるが、おそらくは多少ずれているだろう。複数のプロジェクト（多過ぎてはいけない！）に取り組んでいると、さまざまな視点から〈問題〉を見ることになる。さまざまな場所に据えたカメラから、ただひとつの被写体を狙っているようなものだ。

最後に、これは憶えていてほしいのだが、本書の演習はくりかえし行なうことができる。最初のプロジェクトはもちろん、たとえ一五番めであっても、新しいプロジェクトを立ち上げるさいには活用してもらいたい。私たち自身もそうしている。きみが学部学生だろうと名誉教授だろうと、駆け出しのジャーナリストだろうとピューリッツァー賞受賞者だろうと関係なく、調査研究の始まりはいつも流動的だし、混乱していることも多く、つねに可能性に満ちている。その潜在力を活用しよう。

よくある失敗

- 研究を直線的に進むものと考えてしまう。あるいは、プロジェクトその一を終えてからでなければ、プロジェクトその二に着手してはいけないと考えてしまう。
- さまざまな方面に関心を持っていて、それぞれを別々の問題だと思い込む。
- 一度にあまりに多くのプロジェクトを抱えてしまう。

やってみよう――他者を手助けする

目標 〈自分中心的研究〉の思想、テクニック、技術、演習を用いて、他の研究者が自分の中心を見つけられるよう協力する。

自分の限界を乗り越える（たとえば自分中心の研究者になるとか）ためには、たんに考えているだけではだめで、実際に行動することが必要だ。それも何度もくりかえし。〈自分中心的研究〉の方法――問いを立てて、まだ熟さないうちに答えようとするのでなく、その問いを鍛えていくという――に慣れるにつれて、研究者としての自分の仕事だけでなく、他の人の研究方法についても、それを分析し評価し改善する能力が高まっていく。

中心の定まった研究者の世界を想像してみよう。いや、想像するだけではなく、それが現実になるのに手を貸そう。

いまのきみにはその力がある。自分の研究の中心を見つける手法を、いくつも身につけてきたのだから。きみは、研究上の意思決定に用いるさまざまなツールキットの価値を身をもって理解した。まだマスターしていない手法があると感じるなら、演習を何度もやってみよう。きみには、他の人々のニーズに合わせてフィードバックを与える能力がある。友人、同僚、教え子はもちろん、自分の師匠（メンター）による研究に対しても。

きみがやってきたことは、向こうもやっているはずだと決めつけてはいけない。能力と実績があって抜きん出ていて、さらには高名な研究者であったとしても、相手がすでに自分の中心を見つけていると決めてかかってはいけない。自分の中心を見つけるのは、だれにとっても簡単なことではない。たとえ仲間の研究者がすでに中心を見つけていたとしても、忘れてはいけない――キャリアを積むにつれて、また一生を通じて、中心はしだいに移動していく。だから私たちはみな、折りにふれて中心を見つけなおさなくてはならないのだ。

そういうわけで、本書で概要を述べた手順を応用するだけで、他の研究者の人生を変えるほどの影響を与えることができる。かれらの著作物を読むとき、あるいは説明を聞くときには、次のように自問しよう。

- 「賢く見せようとする」というよくある失敗をおかしていないか。
- 仲間内の専門用語、立て板に水の弁舌、あるいは「文献のギャップ」に頼って、真の動機となっている問題をその陰に隠していないか。
- 自分の研究課題を正確に表現し、それによって第三者の聞き手としてのきみ——扱われている事例にまったく関心はないものの、かれらの〈問題〉には聞く耳を持っている——の心を動かすことに成功しているか。
- 自分の〈問題集団〉がだれで、どこにいるか知っているか。
- 最も重要で最も決定的な洞察が、著作物のあちこちにでたらめに埋もれていないか。

かれらの研究計画書や要約（アブストラクト）や概要を読んだとき、適切に道案内されていると感じるか、それともデータや専門用語に迷い込んでしまったと感じるだろうか。かれらの問題に招き入れられていると感じるか、それとも仲間言葉やよく知らない人物や事件、説明もなく出てくる略語にしょっちゅうつまずかされているか。

自分の研究を分析する能力が深まるにつれて、それに比べれば他者を助けるのは楽なものだと感じるようになるだろう。

要するに、**だれかの〈反響板〉を務める用意が整った**わけだ。用意が整ったからには務めるべきだと思う。

この方面で他者を助けるにはどうしたらいいかよくわからないなら、そのためのお手軽な方法をここでいくつか紹介しよう。

- **執筆のパートナーシップまたはワークショップ。**いま書いている作品を、互いに真摯に批評しあう集まり。みんなに声をかけて参加者を募ろう！
- **原稿のレビュー。**未発表の学術論文の内輪のレビューで、二種類の読者に向けて書かれる。その読者とは、まずそれを掲載あるいは出版するかどうか判断する、専門雑誌や出版社の編集者、そしてその作品の著者本人だ。これを書く目的は、いま執筆中の作品に対して建設的な批評を行ない、その作品が発表の品質基準を満たしているかどうか判定することだ。
- **書評。**出版された学術的な著作に対し、評者が自分の名前を出して公的に評価するもの。書評は、ある研究の具体的な長所と短所に対して意見を述べ、その研究が該当の分野に対してどのように貢献しているか説明するために書かれる。
- **分野の現状に関する評論。**ある分野の現在の傾向を明らかにし、またいくつかの著作を取りあげて、それらがその分野の問いに答え、問題を解決する上でどのように貢献しているかを要約し、評価するもの。高度な概念的・哲学的問題について総合的に論評するものなので、個々の作品の評価は主たる目的ではない。

- **学会やワークショップでの発表。** 分野によるが、現在進行中の研究または完了した研究について発表する。一般的には研究者本人が内容をまとめて発表し、その後に討論者（またはパネリスト）による批評、聴衆からのコメントや質疑が続く。
- その他の方法については、whereresearchbegins.com を参照。

このような活動に参加することによって、研究の進展に貢献することができる。きみの〈分野〉の人々、〈集団〉の人々に協力しよう。

私たちの〈反響板〉になってもらえないだろうか。

手を差し伸べてほしい。きみの経験したこと、考えたことを伝えてもらえるととても参考になる。〈自分中心的研究〉の方法は役に立っただろうか。演習を採用あるいは修正してうまくいったことがあれば教えてもらいたい。こうすれば良くなるという提案は大歓迎だ。何度も述べてきたように、研究は協力と反復の作業である。本書は、協力者をつのるためのささやかな一歩なのだ。

私たちと同様、きみも長く研究者として歩んでいかれることを願っている。

謝辞

この本を書くのには一八年かかっている。

その歳月に数えきれない人々のお世話になってきたから、ちゃんと感謝しようと思えばこの本は厚さが二倍以上になってしまうだろう。手短にまとめると、まずは家族のみんな、とくにキアラとジュリーに感謝したい。また近く遠くの同僚たち、シカゴ大学出版局のカレンをはじめとするあっぱれな編集チーム、そして（共著者として友人として）お互いに感謝したい。

この本を私たちの教え子に捧げる。スタンフォード大学およびブリティッシュ・コロンビア大学の学生たちだけでなく、私たちふたりが学生として出会い、また初めて講師として教室に足を踏み入れた場所、すなわちコロンビア大学の学生たちにも。

しかしここで終わりではない。きみ（と私たち）が研究についてどのように考え、語り、教えるか、そして実際にどのように研究するか――本書を通じて、そこに大きな変化をもたらしたいと私たちは思っている。

きみもこの企てに参加してもらいたい。というより、この本を読むことできみはすでに参加してくれているのだ。

だからきみにもお礼を言いたい。ありがとう。

参考図書

以下にあげるのは、研究の哲学や手法について考えるうえで役に立った書籍や論文の一部である。

注釈付きの推薦図書の詳しいリストについては、whereresearchbegins.com のサイトを参照されたい。

- Booth, Wayne C., Gregory G. Colomb, Joseph M. Williams, Joseph Bizup, and William T. FitzGerald. *The Craft of Research*. 4th ed. Chicago: University of Chicago Press, 2016.〔邦題『リサーチの技法』ウェイン・C・ブース他著、川又政治訳、ソシム、二〇一八年〕
- Caro, Robert A. *Working: Researching, Interviewing, Writing*. New York: Knopf, 2019.
- Eco, Umberto. *How to Write a Thesis*. Translated by Caterina Mongiat Farina and Geoff Farina. Foreword by Francesco Erspamer. Cambridge, MA: MIT Press, 2015.〔邦題『論文作法——調査・研究・執筆の技術と手順』ウンベルト・エーコ著、谷口勇訳、而立書房、一九九一年〕
- Gerard, Philip. *The Art of Creative Research: A Field Guide for Writers*. Chicago: University of Chicago Press, 2017.
- Graff, Gerald, and Cathy Birkenstein. *They Say/I Say: The Moves That Matter in Academic Writing*. New York: W.W. Norton, 2018.

トーマス・S・マラニー（Thomas S. Mullaney）
スタンフォード大学歴史学科教授。
コロンビア大学で博士号を取得。専門は中国史。
邦訳書に『チャイニーズ・タイプライター』（2021 年、中央公論新社）がある。
その研究は BBC や、L.A. Times、
『アトランティック』などで取り上げられ、
Google、Microsoft、Adobe などで招待講演も行っている。

クリストファー・レア（Christopher Rea）
ブリティッシュ・コロンビア大学アジア研究学科教授。
コロンビア大学で博士号を取得。専門は近代中国文学。
著書に *Chinese Film Classics, 1922-1949* などがある。

安原和見（やすはら・かずみ）
翻訳家。東京大学文学部西洋史学科卒業。
訳書にヒギンズ『ベリングキャット』（筑摩書房）、
マティザック『古代ローマ帝国軍 非公式マニュアル』、
グロスマン『戦争における「人殺し」の心理学』（以上、ちくま学芸文庫）、
『フレドリック・ブラウン SF 短編全集』(全 4 巻、東京創元社)、
アダムス『銀河ヒッチハイク・ガイド』シリーズ（河出文庫）他多数。

リサーチのはじめかた

「きみの問い」を見つけ、育て、伝える方法

2023 年 8 月 30 日 初版第 1 刷発行
2024 年 5 月 20 日 初版第 6 刷発行

著者　トーマス・S・マラニー
　　　クリストファー・レア
訳者　安原和見
装丁　杉山健太郎

発行者　喜入冬子
発行所　株式会社筑摩書房
　東京都台東区蔵前 2-5-3 〒111-8755
　電話番号 03-5687-2601（代表）
印刷・製本　中央精版印刷株式会社

 ISBN978-4-480-83725-7 C0030